知念実希人

神秘のセラピスト
天久鷹央の推理カルテ
完全版

実業之日本社

実業之日本社文庫

目次

神秘のセラピスト

The Mysterious Therapist

天久鷹央の推理カルテ

［完全版］

プロローグ

「鷹央《たかお》先生、バチカンからの使者が来ましたよ」

暗く狭い部屋の中、僕は小声で報告する。

「……ああ、そうか」

鷹央は手袋を嵌《は》めた両手を凝視したまま答えた。

「……大丈夫ですか？」

「なにがだ？」鷹央はようやく顔を上げる。

「緊張しているんでしょ？」

鷹央は一瞬、反論するようなそぶりを見せるが、すぐに目を伏せた。

「そうだな……、たしかに緊張している」

鷹央は小さな声で言った。

「今回の件、解決できるかどうか、まだ分からないんですか？」

「ああ、まだ分からない」

ありとあらゆる事件の真相を見抜いてきたこの人でさえ、解けないかもしれない謎《なぞ》か……。今回の相手がどれだけ強敵であるかを実感する。

「大丈夫ですよ。きっと上手《うま》くいきますよ」

「……なんでそう言い切れるんだ。そんなのやってみなければ分からないだろ」

鷹央の顔が急速にこわばっていく。

「もし、私が失敗したら……」

そこで言葉を切ると、鷹央は自分の肩を抱くように両腕をまわす。その体は細かく震えていた。

失敗したら、少女の命が失われてしまう。鷹央の小さな背中にかかっている重圧は、想像を絶するものだろう。

「大丈夫です」

僕は華奢《きゃしゃ》な肩に手を添える。掌《てのひら》にかすかに振動が伝わってきた。鷹央は僕の顔を睨《ね》め上げる。

「だから、なんの根拠があって大丈夫だなんて、適当なことを言っているんだ」

「適当じゃありませんよ。統括診断部で十ヶ月も働いてきた経験則です」

「経験則？」

「そうです。この十ヶ月、先生はありとあらゆる謎に首を突っ込んでは、それを全部解決してきたじゃないですか。つまり、百パーセントの成功率です。なら、統計的に考えて、今回も成功する確率が極めて高いはずです」

「……統計的にか。なんか科学的に聞こえるが、実際はなんの根拠もない話だな。お前らしいよ」

「それに、きっと健太《けんた》君も応援してくれていますよ。自分のことを忘れずに、頑張っている鷹央先生を」

「おいおい、科学的じゃないって言われたからって、今度は開き直ってオカルトかよ」

鷹央は苦笑しながら肩をすくめる。

「いいじゃないですか、オカルトだって。先生、いつも言っているでしょ。科学で証明できることだけが真実とは限らないって。だから、僕は本気で思っているんですよ。健太君はきっといまの鷹央先生を見て、心から応援しているって」

「そうかもしれないな……」

鷹央はウエストポーチからニューヨークヤンキースの野球帽を取り出す。数ヶ月前に白血病で命を落とした、三木《みき》健太の形見であるその帽子を。

「それに、今回の相手もオカルトじみていますよ。なんといっても、相手はある意味、『神』みたいなものなんですから。だから、健太君が見守ってくれていると思うぐらい、いいじゃないですか」

「ああ、そうだな、たしかにその通りだ」

鷹央は手にしていた野球帽を頭の上に置くと、笑みを浮かべた。

普段、謎を解くときに浮かべる不敵な笑みを。

「それじゃあ、いっちょ〝神狩り〟としゃれこむか」

雑踏の腐敗

Karte. 01

なんなんだ、ここは……。

宮城辰馬《みやぎたつま》は口を半開きにして立ち尽くす。視線の先にはネオンの煌《きら》めくビルが立ち並び、その手前に広がる巨大な交差点を無数の人々が行き交っていた。

渋谷駅前のスクランブル交差点。テレビ画面の中では何度も見たことのある場所だ。しかし、実際にそれを目の前にすると、これまで故郷からほとんど出たことのなかった辰馬は、あまりの人の多さにただただ圧倒された。

羽田空港から渋谷駅にやって来るまでの電車でも、その混み合った車内に息苦しさをおぼえていた。しかし、渋谷駅で電車を降りて、駅を出たところで目の当《ま》たりにしたスクランブル交差点、そこを行き交う人々の数はそれどころではなかった。

過疎《かそ》化が進んでいる故郷では、縁日の境内でもこんなに人が密集することはない。駅を出てから十五分ほど、辰馬はこうして駅前の広場で立ち尽くしていた。左手には有名なハチ公像があり、その周囲にはあか抜けたファッションの若者がたむろしている。

辰馬は革ジャンを着ている自分の体を見下ろす。東京に来ることが決まってからネットで買ったものだが、どうにも地味だった。周りにいる同年代の若者のおしゃれな着こなしと比較して、みじめになってしまう。

スクランブル交差点を前にするまで、憧《あこが》れの東京に出て来たという高揚感をおぼえていた。

去年の三月に地元の高校を卒業してから、半年以上必死にバイトをして貯金をしてきた。そのうえで両親を説得し、年が明けて数週間経《た》った今日、ようやく東京へやって来た。当分は、五年前に東京に出てOLとして働いている姉の部屋に居候《いそうろう》しつつバイトをして、四月から通う予定の専門学校の学費を稼ぐつもりだ。

中学時代から毎日のように練習していたエレキギター。専門学校に通うことでその実力をさらに伸ばし、仲間を見つけてバンドを組んで、いつかはメジャーデビューを……。そんな夢を抱いていた。

しかし、スクランブル交差点を目の当たりにした瞬間、高揚感は消え去り、代わりに不安が胸を満たしていた。

こんな大都会で、果たして自分はやっていけるのだろうか？　ずっと田舎で育ってきた自分など、相手にもされないのでは？

辰馬は首を振って不吉な想像を振り払うと、革ジャンのポケットからスマートフォンを取り出した。姉の住んでいるマンションは、ここから徒歩で二十分ほどらしい。

まずはそこに行こう。

辰馬は足元に置いていたボストンバッグを担《かつ》ぐと、地図を片手に足を踏み出す。スクランブル交差点に近づくにつれ、人の密度は上昇していった。交差点の手前に着くころには、信号待ちをしている人々で周囲が埋め尽くされる。さっきまで乗っていた電車よりもはるかに混み合っている。辰馬は胸を押さえた。こんな混雑、未《いま》だかつて経験したことがない。周囲の酸素が薄くなったような気がした。

これが東京……。辰馬はせわしなく周囲を見回す。ほとんどの者が無表情でスマートフォンの画面を眺めていた。まるでロボットに囲まれているような気持ちになり、息苦しさが強くなる。

こんなよどんだ空気を吸っていたら、そのうち体が腐ってしまうのではないだろうか。そんなふうに思ったとき、歩行者用の信号が青に変わった。同時に、人々が一斉に交差点内に流れ込む。辰馬も人々の奔流に押し流されるように進んでいった。交差点の中心辺りで、流れが複雑にぶつかり合う。前後左右から近づいてくる人の波に翻《ほん》弄《ろう》され、めまいをおぼえる。その時、右手の指先に痛みが走った。

なんだ？　足を止めた辰馬は、顔をしかめながら右手を顔の前に持ってくる。後ろを歩いていた男が背中にぶつかり、「急に止まんなよ」と吐き捨てながらわきを通り過ぎた。しかし、その言葉にこたえる余裕は、辰馬にはなかった。

「なっ、なっ、なっ……」

声にならない悲鳴が漏れる。自分の目に映っている光景が理解できなかった。

地図を持つ右手の指先がどす黒く変色していた。

「ぐっ⁉」

喉《のど》から声が漏れる。今度は左手の指先に痛みが走った。視線を落とすと、左手の指先も黒ずんでいた。辰馬の肩からボストンバッグが滑り落ちる。

周囲の人々が訝《いぶか》しげな視線を送りながら通り過ぎていくなか、辰馬は両手を顔の前に掲げて立ち尽くす。十本の指は、赤錆《あかさび》に覆《おお》われたかのような色になっていた。

変色の範囲が、指先からその付け根へじわじわと広がっていく。辰馬の顔が恐怖に歪《ゆが》んだ。

腐っている。この人混みが俺の体を腐らせている。

「うわあああー!」

喉からほとばしった悲鳴は、雑踏にかき消されていった。

1

なんか、居心地悪いな……。

二月中旬の木曜日の午前、僕、小鳥遊優《たかなしゆう》は、天医会《てんいかい》総合病院の十階にある統括診断部外来診察室で、首をすくめながら椅子《いす》に腰かけていた。目の前では若草色の手術着の上にサイズの合っていないぶかぶかの白衣を纏《まと》った小柄な女性が、こちらに背を向けて座っている。僕の上司である天久鷹央《あめくたかお》だ。

彼女は患者に向かって淡々と説明をしていた。僕には理解できない言葉で。

患者用の椅子に座った金髪の白人男性は、鷹央の（何語かすら僕には分からない）話を何度も頷《うなず》きながら聞いていた。

この男性は数ヶ月間にわたり、原因不明の高熱をくり返しているため、近くの（彼が話す言葉が分かる）クリニックから、この天医会総合病院の膠原病《こうげんびょう》内科外来に紹介され、そこからさらに、僕が所属する統括診断部の外来に送られてきていた。

僕は横目で電子カルテに表示されている紹介状を見る。そこには『日本語も英語も話せないため、当科での診察が困難です。恐縮ですが貴科での御高診をお願いいたします』と記載されていた。

なにか最近、「面倒な患者はとりあえず統括診断部に送れ」という風潮が院内にある気がする。たしかに統括診断部は「他科で診断困難な患者を診察して診断する科」ではあるが、困ったら何でもいいから押し付けろという雰囲気は嬉《うれ》しくない。まあたしかに、この人なら大抵の患者に診断つけられるんだけどね。

僕は淡々と（僕には分からない言語で）患者に説明をしている鷹央を見る。三十分ほど前、患者は診察室に入ってくると同時に、日本語でも英語でもない言葉でまくしたてはじめた。僕が固まっていると、鷹央がため息をつきながら「私が診察する」と患者と話しはじめたのだ。

「グラッチェ、グラッチェ」

患者は鷹央の手を取り、その手の甲に軽く口づけをした。鷹央は顔をしかめて手を引っ込め、言葉をかける。患者は満面の笑みを浮かべて立ちあがると、出口に向かった。

部屋から出る寸前、患者は鷹央に向かって投げキスをしながらなにか言う。鷹央は露骨に顔を歪めながら、虫でも追い払うように手を振った。

「なに言っているんだか」

扉が閉まり、鷹央はため息をつく。

「いや、本当になんて言っていたんでしょう……」

まったく状況について行けていない僕は、こめかみを掻《か》いた。

「そもそも、あの患者さん、どこの人だったんですか？」

「イタリア人だよ。自分でミラノ出身だって言っていただろ」

「いや、何語で会話していたかすら分からなかったんで……。鷹央先生、イタリア語喋《しゃべ》れたんですね」

「言葉なんて、単語をあらかた覚えて、あとは文法を勉強すれば喋れるだろ。ヨーロッパの言語はかなり似通っているから簡単だぞ」

「単語をあらかた……」

英語での日常会話もままならない僕には、想像もつかない世界だ。

「まあ、そういうわけであの男がもともとかかっていたクリニックに、紹介状の返事を書いておいてくれ。できれば、イタリア語でな。診断と、コルヒチンの内服で症状が抑えられる可能性が高いって」

「無茶言わんでください！　あの人がなんの疾患だったかさえ分からないのに」

「なに言っているんだ。家族性地中海熱だよ。さっき患者に説明してただろ。私の話を聞いていなかったのか？」

家族性地中海熱。たしか発熱や腹痛、関節の腫《は》れなどの症状がくり返される遺伝性の疾患で、地中海沿岸や中近東の人々に多いはずだ。そんな珍しい病気だったのか。僕ももっと診察したかった……。

「聞いていたけど、分からなかったんですよ。イタリア語で喋っていたから」

鷹央は不思議そうに数回まばたきをしたあと、「ああ、なるほど」と両手を合わせた。鷹央はその超人的な頭脳と引き換えに、人の気持ちを読み取ったり、他人の立場になって物事を考えたりすることが苦手だ。そのため、自分が理解していることは、他人も分かっているという前提で話を進めてしまうことがままあった。

「ということは、私が紹介状の返事を書かないといけないのかよ。面倒くせえなぁ。それじゃあ、私は奥で返事を書いているから、お前はその間に次の患者の話を聞いておいてくれ」

鷹央は唇を尖《とが》らせると、衝立《ついたて》が置いてある部屋の奥に向かう。

この統括診断部の外来では、基本的に僕が患者の話を聞くことになっている。その間、鷹央はというと、衝立の奥で読書をしており、好奇心が刺激されるような患者が来たときのみ姿を現すのだ。

「ちなみに鷹央先生、あの患者さん、出て行く前になんて言ったんですか？」

僕が訊《たず》ねると、鷹央の表情が渋くなる。

「君は美しい、まるで天使のようだ。そう言ったんだよ」

「……」

「なんだよ、その沈黙は」

「いえ、べつに……」

鷹央は鼻を鳴らすと衝立の奥に姿を消す。

「まあ、あっちの宗教画とかだと、天使って子供の姿をしていることが多いしな」

僕が口の中で独り言を転がすと、衝立の奥から鷹央が勢いよく顔を出した。

「なんか言ったか？」

鷹央の目が危険な光を灯《とも》す。僕は「なんでもありません！」と慌《あわ》てて首を左右に振った。鷹央は僕を一睨《ひとにら》みしたあと、再び顔をひっこめた。

胸を撫《な》でおろしつつ壁時計に視線を向ける。次の患者の診察時間が近づいていた。僕はマウスを操作し、電子カルテに次の患者の紹介状を表示する。

統括診断部の外来を受診する患者の大半は、この病院の他科から紹介されてくるのだが、次の患者は渋谷区にある病院から直接、統括診断部に紹介されてきたらしい。

「宮城辰馬さん、どうぞお入りください」

声を上げると、入り口の扉がゆっくりと開き、若い女性が診察室に入って来た。かなり身長が高く、細身の女性だった。彫りが深く、整った顔をしていて、どことなくハーフのような雰囲気を醸《かも》し出している。年齢は二十代半ばといったところだろうか。ストレートの黒髪が肩に軽くかかっている。

「よろしくお願いいたします」女性は弱々しい声で言う。

「どうぞお座りください」

僕が椅子を勧めると、女性は落ち着かない様子で診察室を見回しながら腰を下ろした。

「紹介状によると、患者さんは宮城辰馬さんという男性の方だということですが……」

「あっ、すみません。辰馬は弟です。私は宮城椿《つばき》と申します」

女性は小さく頭を下げる。

「今日は、弟さんは？」

「……弟はここには来ていません。外に出ることを怖がって、あまり外出ができないんです。ですから、申し訳ないとは思ったんですけど、私だけまいりました」

「外に出ることが怖い？」

「はい。体が腐ってしまうと怯《おび》えているんです」

「体が腐る⁉」

思わず声が高くなる。椿は暗い表情で頷いた。僕は紹介状を見直す。そこには『突飛な症状を訴え、専門医による精査を希望しております』との記載があった。

「つまり、弟さんは外出すると体が腐るとおっしゃっているんですか？」

「いえ、ただ外に出るのではなく、人混みの中に入ると体が腐る。そう言っているんです」

椿は綺麗《きれい》に整えられた眉毛《まゆげ》を八の字にする。

「だから、人混みに入らなくてもいいように、自宅の近くにある総合病院を受診しました。主治医の先生は『人混みに入ったからって体が腐るような病気はない』とおっしゃったんですが、一応色々な検査をしてくださいました」

椿の説明を聞きながら、僕は紹介状に添付されていた検査データに目を通す。一般的な血液検査に加え、アレルギーや膠原病の検査まで行っていたが、特に異常値は見られなかった。心電図やレントゲン・CTなどの画像検査でも異常はない。たしかに、しっかりと検査をしている。

「検査結果では、特に異常は見つからなかったみたいですね」

「はい、それでその先生はストレスのせいで見間違えた可能性が高いということで、精神科を紹介してくださいました。けれど弟は『あれは本当に体が腐っていた。幻覚や見間違いじゃない』と言い張って、精神科の受診を拒否しました」

「はあ、なるほど……。けれど一回ぐらい見間違いをすることは、誰でも……」

「一回じゃないんです」

椿は哀《かな》しげに顔を歪めて、僕の言葉を遮る。

「一回じゃない？」

「はい、弟が言うには少なくとも三回は、同じようなことがあったらしいんです」

「同じことって、人混みで体が腐るっていうことですか？」

椿は躊躇《ためら》いがちにうなずいた。

「そうです。最初は弟も見間違えだと思ったらしいんです。けれど、それから何回か人が多い場所に行ったところ、そのたびに体が腐りはじめてあわてて自宅に戻ったり、人の少ないところに逃げ込んだらしいんです」

「人混みから出れば大丈夫なんですか？」

「はい。自宅に戻れば、腐りはじめていた部分も元に戻ると言っています」

人混みに入ると体が腐り、家に帰るともとに戻る。そんな疾患は聞いたことがない。

「絶対に体は腐っていた、その原因を見つけてくれと弟が強く言ったところ、主治医の先生がこちらを紹介してくださいました。『そういう症例』を専門的に診ている先生がいらっしゃるって」

『そういう症例』って、どういう症例だよ。頬を引きつらせながら、僕は内心で突っ込みを入れる。

「あの、オカルトというか、超常現象というか……、そういうことを専門に扱っているとうかがったんですが……」

僕の心を読んだかのように、椿は言葉をつけ足した。頬の引きつりがさらに強くなる。

たしかにこの数ヶ月、鷹央は摩訶《まか》不思議な疾患や事件に首を突っ込んでは、真相を見破ってきた。その噂《うわさ》が広がって、最近はこの病院の周囲の人々から、探偵まがいの依頼が舞い込む始末だ。しかしまさか、渋谷区の病院にまでそんな噂が広がっているとは……。

「あのですね。そちらの先生はちょっと誤解をなさっているようですが、統括診断部はべつに超常現象を専門にしているわけではなく……」

「面白い！」

突然上がった声に振り返ると、いつの間にか鷹央が衝立から姿を現していた。

ああ、食いついちゃったよ。鷹央の目がきらきら輝いているのを見て、僕は片手で目元を覆う。

「あの、そちらの方は……？」

突然現れた鷹央を眺めながら、椿はまばたきをくり返した。

「こちらは統括診断部部長の天久鷹央先生です」

鷹央を紹介した僕は胸の中で、「『そういう症例』の専門家です」とつけ足す。

「部長さん……ですか」

椿はいぶかしげにつぶやく。自分よりもはるかに年下に見える鷹央と、総合病院の部長という役職が、頭の中でうまく繋《つな》がらないのだろう。鷹央を紹介された人の多くは、最初このような反応を見せる。

「体が腐りだすのは、人混みに入った時だけなのか？　それ以外で、その現象が起こることはないのか？」

鷹央は大股《おおまた》で近づいてくると、椿の顔を覗《のぞ》き込んだ。

「あ、えっと……、弟が言うには、人混みに入った時だけだということでした」

「そうか。それで、どのくらいの人混みだとその症状は起きるんだ？　お前の弟は総合病院を受診したんだろ。総合病院の外来待合はかなり混んでいるはずだ」

「本人は少し怯えていましたけど、病院の待合ぐらいは大丈夫みたいです。症状が起こったのは全部、渋谷駅の周辺でした。センター街とか、スクランブル交差点とか、ハチ公像の前とか」

「ああ、あの辺りか……。たしかに病院待合の比じゃないな。なんでわざわざそんな所に行ったんだ」

自らも人混みが苦手な鷹央は、顔をしかめる。

「私と弟はマンションを借りて住んでいるんですけど、最寄り駅が渋谷なんです。かなり交通の便が悪い場所で、とりあえず渋谷駅に出ないと、電車にもバスにも乗れなくて……」

「なるほど。だから渋谷に行ったが、そのたびに体が腐りだしたっていうわけか。それで、本人をここに連れてくることはできないのか？　できれば直接診察したい」

身を乗り出して鷹央は言う。どうやら、この『謎《なぞ》』がいたく気に入った様子だ。

「申し訳ありませんが、本人がどうしても無理だって……」

椿は首をすくめる。

「なんでだ？　近くの総合病院ならいけたんだろ？」

「家の近くなら大丈夫なんですが、遠出をするのは怖いみたいなんです。もしまた症状が起こったとき、すぐに家に逃げ込めないからと言って」

「そうか。来られないのか……。けれど、本人に会わないことには診断は難しいしなぁ」

鷹央は軽く唇を尖らせ、腕を組んだ。椿の表情が曇る。おそらく、鷹央に診察を断られると思ったのだろう。

しかし、そんなわけがないのだ。無限の好奇心を持つ鷹央は、一度『謎』に食らいついたら、スッポンのように放すことはない。

「なあ小鳥《ことり》、明後日《あさって》の土曜日は暇か？」

テンション高く鷹央が訊ねてくる。

「はいはい。渋谷まで診察しに行くから付き合えって言うんでしょ。分かっていますよ」

僕が肩をすくめると、椿の顔に驚きの表情が浮かんだ。そんな椿の前で、鷹央は薄い胸を張る。

「安心しろ。私がちゃんと診断をくだしてやるから」

2

「しっかし、本当にすごい人だな……。どっからこんなに湧《わ》いて出るんだよ」

無数の人々が行き交う夜のスクランブル交差点をフロントガラス越しに眺めながら、鷹央が吐き捨てた。僕は助手席に座る鷹央を横目で見る。ややサイズの大きすぎるセーターとジーンズを着て、腰にはウエストポーチが巻かれている。

宮城椿が外来にやって来た二日後の午後七時前、僕と鷹央は宮城辰馬に会うため、渋谷にあるマンションへと向かっていた。本当ならもっと早い時間に行きたかったのだが、夕方まで宮城椿が用事で出かけているということで、こんな時間に訪ねることになった。

「鷹央先生も人混み苦手ですからね。まあ、体が腐るほどじゃないでしょうけど」

からかうと、鷹央が横目で睨んできた。

「当たり前だろ。こんなうじゃうじゃ人がいて平気な方がおかしいんだ。あれだけの人数が同時に好き勝手に話してるんだぞ」

もともと、鷹央は聴覚過敏なところがある。さらに複数の人間が話している音が、一つ一つの声として独立して聞き取れてしまうらしい。何十人もの会話が同時に頭に入ってくる。たしかにそれは、かなりの苦痛だろう。

正面の信号が青に変わり、僕はアクセルを踏み込んだ。目的地まではあともう少しだ。

「けれど、『人混みで体が腐る』ですか。そんなことあり得ないと思うんですけどねぇ……」

「まあ、聞いたことはないな。ただ、聞いたことないからって、あり得ないとは言い切れないだろ」

「分かっていますよ。だからこうして、本人に会いに向かっているんですよね」

「小鳥、……お前、今回はやけに協力的だな」

鷹央の声が低くなる。

「えっ？」

「休みの日に調査に付き合わせると、いつもは『なんで僕がこんなことを……』とか、ぶつぶつ文句を言うだろ。それなのに、今回に限って妙に積極的だ」

「いやぁ、気のせいじゃないですか？」

声がかすかに上ずる。

「……宮城椿か」

「な、なんのことですか」

「宮城椿は大人びた雰囲気で、かなり美人だったな。お前はああいう女がタイプだ。なるほどな、だから今回は文句も言わなかったのか」

前方の信号が赤になる。図星を指された僕は、引きつった笑みを浮かべてブレーキを踏んだ。

「まったく、相変わらず惚《ほ》れっぽい奴《やつ》だな」

「休みが潰《つぶ》れるんだから、少しぐらい楽しみがあってもいいじゃないですか」

開き直ると、鷹央は小馬鹿にするように形は良いが低い鼻を鳴らした。

「本当に懲《こ》りない奴だな。この七ヶ月で女に何回フラれてきたんだ？　また失恋記録を更新するつもりか」

「ほっといてください！　そもそも、べつに宮城椿さんにこなかけたりしませんよ。患者の家族を口説くほど節操なくはありません」

「えっ？　口説かないのか？」鷹央は目を大きくする。「せっかくまた、失恋話でからかえると思ったのに！」

「うるさい！」

信号が青になったのを確認して、僕はアクセルを踏み込む。なんで勤務時間外まで、この人にからかわれ続けなくちゃいけないんだ。脱力感が全身を襲う。

「なんだぁ。口説かないのかぁ。つまんないなぁー」

「そんなことより、先生は今回の件をどう思っているんですか？　なにか仮説みたいなものはないんですか？」

僕は強引に話を変える。

「ん？　仮説か？　そうだな、まず思いつくのはパニック障害と、それにともなう広場恐怖だな」

「普通に考えたらそうですよね。人混みを怖がるのは典型的ですし」

パニック障害とは身体的な異常は認めないにもかかわらず、強い恐怖感とともに動《どう》悸《き》・頻脈・呼吸困難等の症状を発作的にくり返す疾患だ。多くの場合、それらの症状は三十分程度で治まるが、発作時の不安は死を予感させるほどに強い。そのため、患者の多くは広場恐怖と呼ばれる、発作を起こした際に容易には逃げられない状況や、人目が多い場所に対する恐れを抱くようになり、日常生活に支障をきたしてしまう。

「けれど、今回の患者は体が腐りはじめたって言っているんですよね。パニック障害でそんな症状出るわけないし、やっぱり最初に診たドクターが考えたとおり、発作で混乱して見間違えたんじゃないですかねえ」

「その可能性もあるな。まあ、本人に会ってみれば色々分かるだろうさ」

「そうですね。ああ、あそこの駐車場ですね」

僕は一瞬カーナビに視線を落とす。数十メートル先にあるコインパーキング、そこが椿に指定された待ち合わせ場所だった。

二十台分ほどの駐車スペースがあるコインパーキングに愛車のマツダＲＸ－８を滑り込ませると、すでに赤いコートを羽織った椿が待っていた。

「で、その体が腐るっていう弟はどこにいるんだ」

停車すると同時に車外に飛び出た鷹央は、挨拶《あいさつ》もなく椿に訊ねる。

「こんばんは、天久先生。わざわざ遠いところまですみません。弟は部屋にいます。すぐ近くですので、ご案内しますね」

エンジンを切って車から降りた僕に会釈《えしゃく》をすると、椿は歩き出す。僕と鷹央はその後について行った。コインパーキングを出ると、どこか寂れた雰囲気の住宅街が広がっていた。

「普通の街なんだな」

きょろきょろと左右を見回しながら鷹央が言う。

「はい。渋谷駅が最寄りと言っても、駅まではかなり離れていますから。まあ、日用品なら近くにあるスーパーでなんでも手に入れられますので、それほど不便はありませんけど」

「それじゃあ、お前の弟は毎日どう過ごしているんだ？　渋谷駅に向かったら、人混みは避けられないだろ」

「弟は東京に出てきてからの一ヶ月、ほとんど家に籠《こ》もっています。出かけるとしても、歩いて三分ほどのところにあるスーパーぐらいで……。外に出るのを怖がっているんです。自転車とか使えば、渋谷以外の駅まで行くこともできますけど、東京の電車とかバスって混むじゃないですか。だから混雑した車両に乗ったらまた……体が腐り出すかもって」

人混みだけでなく、公共交通機関も怖いのか。ますますパニック障害の症状に一致する。

「それじゃあ、せっかく東京に出て来た意味がないな」

「はい、そうなんです……。私はちょっとした都合で、四月に埼玉に引っ越す予定なんですけど、そんな状態の弟を一人で残しておくわけにもいかず……」

椿は硬い表情でうつむいた。

「まあ、姉としては弟が引きこもっていたら心配にもなるよな」

鷹央はうんうんとうなずく。

「鷹央先生も同じようなもんじゃないですか。ほとんど病院から出なくて、よく真鶴《まづる》さんに心配かけてるし」

僕は小声でからかう。鷹央は基本的に、天医会総合病院の屋上に建っているレンガ造りの〝家〟と、十階にある統括診断部の外来や病棟を往復する生活を送っている。こうして病院の外に出るのは、今回のように『謎』の調査をするときぐらいだ。

「……うっさい」

鷹央は唇を尖らすと、肘《ひじ》を僕の脇腹《わきばら》に打ち込んできた。油断していたところに肘鉄を食らい、口から「ぐふっ」という音が漏れ出す。

「どうかしましたか?」

振り返った椿が二、三度まばたきをした。

「いえ、なんでもありません」

僕は片手で脇腹を押さえながら、少々引きつった笑みを浮かべる。

「はあ……。あの、そこが私たちが住んでいるマンションです」

小首をかしげた椿は、目の前にある八階建てのやや年季の入ったマンションを指さした。

椿に案内され、僕と鷹央は六階にある部屋へと通される。玄関を入った椿は「ただいま」と言いながら短い廊下を進み、突き当たりにある扉を開く。

扉の奥には、ソファーとテレビ、そしてローテーブルなどが置かれた、八畳ほどのリビングが広がっていた。ソファーに座っていた若い男が、あわてて腰を上げる。短い髪をわずかに茶色く染めた青年だった。

「弟の辰馬です」

椿が紹介すると、宮城辰馬は首をすくめるように頭を下げた。

「宮城辰馬です。わざわざ来てくださって、ありがとうござい……」

辰馬の丁寧な挨拶は、つかつかと目の前までやって来た鷹央に浴びせられた、ぶしつけな視線によって遮られる。

「あの……」

戸惑う辰馬の頭頂部からつま先まで、鷹央は舐《な》めるように観察する。辰馬が眉をひそめると、鷹央はリビングを見回しはじめた。

この部屋になにかあると言うのだろうか？　僕もつられて室内を見るが、特に目をひくものはなかった。液晶テレビと小さなオーディオセット、部屋の隅にはギターケースが置かれている。ローテーブルの上には沖縄のリゾート地の旅行パンフレットなどが載っていた。

「お前が、人混みに入ると体が腐るっていう奴だな」

一通り室内の観察を終えた鷹央は、再び辰馬の顔を覗き込んだ。

「は、はい、そうです……」

辰馬はかすかにのけぞる。

「腐るって、具体的にはどんなふうになるんだ？　体がぼろぼろに崩れ落ちるわけじゃないんだろ？」

「人混みに入ってからある程度の時間が経つと、手の指の先から青黒くなっていくというか……。そんな色に変色していくんです。時間が経つにつれ、どんどん指の根元に向かって広がって……」

辰馬は硬い表情で説明していく。

「そのまま放っておくと、どこまで広がるんだ？　腕から体まで『腐って』いくのか？」

「そんなこと分かりませんよ。それが起こったらすぐに、必死に逃げますから」

「人混みから脱出すれば、その『腐った』部分は治るのか」

鷹央の質問に、辰馬は小さくうなずいた。

「はい。最初に体が腐りだしたのは先月、はじめて渋谷に着いてスクランブル交差点を渡っている途中でした。そのときは、無我夢中で走って近くのカフェに逃げ込みました。そうしたらいつの間にか治っていたんです」

「連絡を受けた私がカフェに迎えに行って、タクシーでこの部屋まで連れてきました」

椿が辰馬の説明を補足する。その際のことを思い出したのか、辰馬は両手で自分の肩を抱くようにしながら、弱々しい声で説明を続けた。

「それ以降では渋谷駅の近くに行ったときに二回、同じような症状が起こりましたけど、この部屋まで走って逃げました。やっぱり部屋に着くと、腐っていた部分が治るんです」

「なるほどな……」

うなずく鷹央の隣で、僕は首をひねる。腐った、つまりは壊死《えし》した細胞が短時間で元に戻る。そんなことはあり得ない。

「先月までは一度も、そういう症状が起きたことはなかったんだな？」

「ありませんよ。実家の近くでは、あんなに人が多く集まることなんてないんです。渋谷駅で降りたら、あまりの人の多さに気持ちが悪くなってきて、スクランブル交差点で訳が分からなくなって……」

辰馬は何かに急《せ》かされるように早口になっていく。

やっぱりパニック障害の可能性が高い。顔を紅潮させる辰馬を僕は眺める。これまで過ごしてきた環境とはあまりにもかけ離れた状況に圧倒され、そのストレスによってパニック障害が発症、その随伴症状として『体が腐る』という幻覚を見た。おそらくはそういうことなのだろう。

「なんで人混みが原因だって言い切れるんだ？　他にも要因があるかもしれないだろ？」

鷹央が訊ねると、辰馬の表情が険しくなった。

「どんな原因があるっていうんですか？　たしかに俺も最初は、実家と東京の空気の違いとかで、アレルギーでも起こしたのかもって思いましたよ。けれど、近くの病院の医者は『そんな話聞いたことない』って一言で片づけたし、一応アレルギー検査もしてもらったけど、なんの異常もないって言われました」

僕は紹介状に同封されていた検査結果を思い出す。たしかにアレルギー検査もしっかりとされていたが、全《すべ》て正常値だった。

鷹央が黙っているのを見て、辰馬は身を乗り出す。

「それに、東京だからどこでも症状が出るってわけじゃないんです。この近くなら、スーパーに行っても、病院に行っても体が腐ったりしません。渋谷駅に行ったときだけなんです。あそこに近付いて、あのひどい人混みの中に紛れ込んだときだけ、俺の体は腐りはじめるんです。どう考えても、人混みが原因です。それとも、渋谷駅の周りにだけ、何か特別な物質が漂っているっていうんですか？　俺の体だけを腐らせるような、特別な物質が」

辰馬は早口で言うと、荒い息をつく。

渋谷駅の周囲だけに存在し、そして辰馬の体だけが反応する物質。常識的に考えてそんなものが存在するわけがない。

腕を組んで黙り込んでいた鷹央は、辰馬の顔を見上げる。

「お前以外で、体が腐っていくのを見た奴はいるのか？」

「そんな人……いませんよ。体が腐りはじめたらすぐ、走って逃げ出すんだから。そして、気づくといつの間にか全部治っているんです」

辰馬は痛みに耐えるような表情を浮かべた。

「分かっていますよ。見間違いだって思っているんでしょ。この前の先生もそう言っていました。幻覚を見たんだってね。けれど違うんです。絶対に見間違いなんかじゃない。俺の体は本当に腐っていたんだ！」

「辰馬。落ちついて。大丈夫だから」

両手で頭を抱えた辰馬に、椿があわてて寄り添う。

「でも、このままじゃ俺、どこにも行けないんだよ。このままじゃ姉さんの……」

「そのことは気にしなくていいから。まずは自分の体のことだけ考えて」

椿が辰馬に優しく声をかける。そのとき、鷹央が柏手《かしわで》を打つように両手を合わせた。

「まとめると、お前は人混みに入ると体が腐る。けれど、自分以外にそれを目撃した者がいないから、幻覚だと思われてる。そういうことだな？」

「……はい。そうです」

辰馬は暗い表情で答える。

「そうか。それじゃあとりあえず、本当に体が腐り出したのか、それとも実際は起こっていないのか、診断をくだすためにも知る必要があるな」

鷹央が左手の人差し指をぴょこんと立てると、辰馬は目を大きく見開いた。

「俺の言っていること、信じてくれるんですか⁉」

「実際にこの目で見るまで、信じるも信じないもないだろ。私は頭ごなしにお前の言うことを否定しないが、無条件で信じることもしない。まずは実験が必要だ」

「実験って、もしかして……」

「そうだ。お前をいまから渋谷駅前に連れて行く。そこで、本当に体が腐り出すかどうか観察するんだ」

鷹央は大きくうなずいた。

「ちょっと待ってください。もし本当に体が腐ったらどうするんですか？」

椿が声を上ずらせる。

「その時は、これまでと同じようにこの部屋に戻ってくればいいだろ。いままでは、そうすれば治ったんだから」

「けれど、渋谷駅まで無理矢理連れ出すなんて……」

「診断を下すためには必要なんだ」

「でも……」

口ごもる椿の肩に辰馬が触れる。少々こわばっているが、その顔には強い決意が浮かんでいた。

「やります。渋谷駅に行きます」

「辰馬⁉」椿は目を見開く。

「大丈夫だって、姉さん。その先生が言うとおり、症状が出ても、すぐに戻れば問題ないんだから。それに、実際に見たら、俺がなんの病気か分かるかもしれないんですよね？」

期待のこもった辰馬の視線を受けた鷹央は、にっと口角を上げた。

「ああ、私がしっかり診断を下してやる」

3

「大丈夫ですか？」

人で溢《あふ》れかえったセンター街を歩きながら、僕は隣を歩く人物に声をかけた。その顔は蒼白《そうはく》で、痛々しいほどに苦しげだった。

「……大丈夫じゃない」

鷹央はいまにも死にそうな声を絞り出す。

十五分ほど前、宮城姉弟《きょうだい》とともにマンションを出た鷹央は、意気揚々と渋谷駅に向かって歩きはじめた。しかし、駅に近づいて人が増えてくるにつれ、その表情は曇っていき、センター街に到着する頃には額に脂汗《あぶらあせ》が浮かび、顔から血の気が引いていた。どうやら、『人混みで腐る体の謎』に集中しすぎて、自分が辰馬に勝るとも劣らないほど人混みが苦手なことを忘れていたらしい。

「あの、もしつらいようなら、マンションに戻りましょうか」

マンションを出てすぐの頃は弟の心配ばかりしていた椿も、いまは鷹央の方を心配している始末だ。

「いや……いい。いま帰ったら、ここまで来た意味がなくなる……。本当に体が腐りだすのか、確認しないと……」

鷹央は力ない声で答える。相変わらず、この人の『謎』に対する執念はすさまじいものがある。

ようやくセンター街を抜けた僕たちは、スクランブル交差点で信号待ちをする人々の中に巻き込まれていく。交差点の奥に渋谷駅が見えた。

「どうですか？　特に体に異常はありませんか？」

僕はそばを歩く辰馬に声をかける。その表情は少々硬いものの、鷹央に比べれば顔色ははるかに良かった。

「はい。いまのところ……。なんか、自分のことより、天久先生の方が心配になってきたんですけど」

革ジャンを着た辰馬は、声をひそめて言う。

「まあ、そうですよね……」

そう答えた瞬間、僕はコートを引っ張られ軽くバランスを崩す。見ると、鷹央が両手でコートのポケット辺りを摑《つか》んでいた。

「鷹央先生、どうしました?」

「……吐きそう」

「ちょ、ちょっと待ってください。どこに吐くつもりですか! やめてください!」

「だって……、こんな道路に吐いたら迷惑……」

「だからって僕のコートに吐かないで。えっと、交差点渡ったら、駅ビルのカフェでも入りましょう。そこなら、ここよりは人が少ないから。だからそれまで我慢してください」

早口で言うと、鷹央は力なくうなずいた。歩行者信号が青になる。信号待ちをしていた何百人もの人々が、一斉に交差点内に突入した。

「ほら、鷹央先生。行きますよ」

僕が声をかけると、鷹央はよろよろと歩き出す。こんな調子じゃあ、辰馬の症状を観察するどころじゃない。とりあえず、どこか人が少ないところに避難しないと、（主に僕のコートが）悲惨なことになる。

　鷹央をつれてスクランブル交差点を半分ほど渡った所で、スマートフォンを操作したまま歩いていた若い男が、僕と鷹央の間を通り抜けようとした。あっと思った時には、僕たちは男とぶつかってしまう。
よたよたとバランスを崩して僕から離れた鷹央が、人の群れに押し流されていく。

「はわああー」

　気の抜けた悲鳴が聞こえてきた。

「鷹央先生！」

　僕はその場で背伸びをするが、もはや鷹央の姿を見つけることはできなかった。

　あの人、小さすぎるんだよ。

　追いかけようとするのだが、人の流れが激しすぎてうまく進めない。

「あ、あ、ああ……」

　突然、すぐ隣からうめくような声が聞こえてきた。反射的にそちらを見た僕は、息を呑《の》む。

　辰馬が顔の前に両手を掲げ、うめいていた。指先が青黒く変色した両手を。その色は、本当に腐敗しているかのようだった。

「た、辰馬……」

　椿が震え声で弟を呼ぶ。その時、僕は気がついた。辰馬の指先だけでなく、耳まで青黒くなっていることに。

　立ち尽くす僕の前で、じわじわとその青黒く変色した部分は範囲を広げていく。指先から指の第一関節へと、そして耳の辺縁から内側へと。

「うわあああー！」

　大きな悲鳴を上げると、辰馬は身を翻《ひるがえ》して走り出した。人混みを強引に掻き分けながら、センター街の方へと戻っていく。

「辰馬、待って！」

　椿が声をあげるが、すでに辰馬の姿は群衆の中に消えていた。僕は横目で信号を見る。青信号が点滅している。

「椿さん、辰馬さんを追ってください。僕は鷹央先生を回収……じゃなかった、見つけてから、マンションへ行きますから」

　椿はうなずいて辰馬が消えていった方へと向かう。僕はそれとは逆の方向に早足で進んだ。

「鷹央せんせー。どこですかー」

　交差点を渡り切った僕は、周囲を見回しながら声を上げる。

脳裏には、指と耳が青黒く変色していく光景がこびりついていた。

「指と耳が『腐って』いったんだな」

「ええ、本当に細胞が壊死していたかは分かりませんけど、少なくともそう見えました」

隣を歩く鷹央の質問に、僕はうなずく。

椿と別れて数分して、ハチ公像の近くでうずくまっている鷹央を発見した。上司の回収というミッションを果たした僕は、できる限り人の少ない裏通りを歩いて、鷹央とともに宮城姉弟のマンションへと向かっていた。

駅前で発見した時はダンゴムシのように丸くなっていた鷹央も、人通りが少なくなってくるにつれ、辰馬の症状について質問する余裕が戻ってきたようだ。

「少なくともこれで、パニック発作を起こして、恐怖のせいで幻覚を見たっていう説はなくなったな」

鷹央の頬はかすかに紅潮している。『謎』が深まったことに興奮しているのだろう。

「人混みに入ることで、そんな症状が出る疾患なんてあるんですか？」

「本当に人混みに入ったことが原因とは限らないだろ」

「けれど、彼が実家にいた頃も、マンションの近くで外出しても、何も起こらなかったんですよ。そこと渋谷駅周辺の違いって言ったら、人口密度ぐらいじゃないですか？　それとも本当に、渋谷駅の周りに、辰馬君の体にだけ反応する毒物があるっていうんですか」

「さあ、どうだろうな」

鷹央は唇の端を上げた。

「……もしかして鷹央先生、辰馬君になにが起きているか見当がついていたりします？」

「ああ、仮説はあるぞ。あくまでまだ仮説の段階だけどな」

「なんですか、その仮説って？」

僕が勢い込んで訊《き》くと、鷹央は左手の人差し指を唇の前に立てる。

「まだ内緒だ。仮説は実証しないと意味がないからな。お、ようやく到着だな」

顔を上げると、宮城姉弟のマンションが見えてきていた。

「よし、それじゃあさっそく、私の仮説が正しいか確かめるぞ」

鷹央はついさっきまでの状態が嘘《うそ》のようにテンション高く言うと、小走りでマンションに向かっていった。

宮城姉弟の部屋の前に着き、呼び鈴を鳴らすと、椿が扉を開けてくれた。

「天久先生。大丈夫でしたか？」

「ああ、大丈夫だ。それより宮城辰馬はどうしてる？」

心配そうに声をかけてくる椿を押しのけ、鷹央は部屋を覗き込む。

「……自分の部屋に籠もっています」椿は目を伏せた。

「腐った指と耳の状態はどうだ？」

「私がこの部屋に戻ったときには、もう元の状態になっていました。けれど、ショックが大きいみたいで……」

「そうか。まあ、とりあえず話をするかな」

鷹央はスニーカーを脱ぐと、椿のわきを通って部屋に上がり込む。椿が「あ、あの……」と戸惑うのを尻目《しりめ》に、鷹央はリビングへと消えていった。

僕も「すみません、お邪魔します」と部屋に上がる。椿とともにリビングへと入ると、鷹央が奥にある扉の前に立っていた。

「ここが宮城辰馬の部屋か？」

椿がおずおずとうなずくと、鷹央はその扉を力強くノックしはじめた。

「おーい、出てこい。とりあえず診察させてくれ」

返事はなかった。無理もない。自分の体にあんなことが起こったのだから。

鷹央は不満げに唇を尖らすと、再びノックをする。

「さっさと出てこいって。お前の体になにが起こっているのか、目星がついたぞ」

「本当ですか⁉」

　中から声が響き、扉が勢いよく開いた。部屋から飛び出してきた辰馬の指と耳は、たしかに元の色に戻っていた。

「ああ、本当だ。ただ、確定診断をくだすためには、ちょっと検査が必要だけどな」

「どんな検査でもします！　だから、俺がなんの病気なのか早く教えてください！」

　辰馬は身を乗り出して声を張り上げる。

「そんなに慌てるなって、少し込み入った話になるんだ。しかし、この部屋は空気が籠《こも》っているな」

　鷹央は大きく深呼吸をする。

「あっ、すみません。換気しましょうか？」

　椿が窓に近づく。

「あんな満員電車みたいなところで揉《も》みくちゃにされたから、まだかなり気分が悪いんだ。窓を開けたぐらいじゃ治りそうもない。なあ、このマンションには屋上とかないか？」

「屋上……ですか？　あることはありますけど、そんなに高い建物じゃないし、周りは住宅地なんで、景色はよくないですよ」

　椿は眉根を寄せる。

「ああ、それでかまわない」

鷹央は僕に視線を向けると、へたくそなウインクをした。

「それじゃあ、夜空の下で診断といくか」

4

「……鷹央先生。どこ行っていたんですか?」

「近くの自販機でこれを買ってきたんだ」

僕が声をかけると、非常階段を上がってきた鷹央は、伸ばしたセーターの袖《そで》で手袋のように覆った両手を掲げる。そこにはココアの缶が挟まれていた。

なんだ。温かい飲み物を買いに行っていただけか。

十分ほど前、僕や宮城姉弟とともにいったん屋上にのぼった鷹央は、「ちょっとそこで待っていろ」と言い残し、どこかへ消えていた。

「一個しか買ってこなかったんですか?」

僕が訊ねると、鷹央は不思議そうに首をひねる。

「一個あれば十分だろ」

「……さいですか」

僕は小さくため息をつき、コートの襟元を合わせた。転落防止用の柵《さく》と電灯が一つあるだけのこの寒々とした屋上で、わけもわからないまま待たされているのだ。人数分買ってくるぐらいの気づかいが欲しかった。

「それより、早く説明してください、俺はなんの病気なんですか？」

辰馬が苛立《いらだ》ちを隠しきれない声で言う。

「もうちょっと我慢しろよ。まだここに来てから十五分も経っていないだろ」

「俺はいますぐに体が腐った原因を知りたいんです！」

「分かった分かった。そう興奮するなって」

鷹央はしゃがんでココアの缶を床に置くと、腰に巻いたウエストポーチを開ける。中には注射器やスピッツ、駆血帯等、採血に必要な器具が入っていた。

「もしかして、採血するんですか？」

僕が訊ねると、鷹央は「ああ、そうだ」とウエストポーチから取り出した器具を僕に押し付けた。

「でも、採血検査なら前の病院でやったじゃないですか。それに、こんな薄暗いところじゃ、血管がよく見えませんよ。部屋に戻ってからやった方が……」

「ぐちゃぐちゃうるさいな。いいからここで採血をするんだよ」

鷹央は面倒くさそうに手を振る。こうなった鷹央に何を言っても無駄だということは、この七ヶ月の付き合いでよく知っていた。

「えっと、それじゃあ、悪いんだけどここで採血をさせてもらってもいいかな？」

「はぁ……」

辰馬はため息なのか返事なのか分からない声を上げる。その顔には、深い困惑が浮かんでいた。

「ああ、まだだ。もう少し待ってからにしろ」

辰馬に近づいた僕に、鷹央が声をかけてくる。

「待ってから？　ここで何を待つって……」

「あ、あああ……」

僕のセリフは、悲痛な悲鳴に遮られる。辰馬が恐怖に顔を歪めながら両手を掲げていた。僕は目を見張る。電灯の薄い光の中、その指先が青黒く変色しているのが見てとれた。目を凝らすと、耳介の辺縁もうっすらと青くなってきている。

「う、うわ、うわ……」

辰馬はあわてて非常階段へと向かった。

「待てっ！」

鷹央が声を張り上げる。辰馬はびくりと体を震わせると、首の関節が錆《さ》びついたような動きで振り向いた。

「安心しろ、すぐに指が腐って落ちたりしない。それより、その状態で採血をする必要があるんだ」

「ひ、人混みの中にいなかったのに……、なんで……?」

辰馬がかすれ声でつぶやく。

「最初から人混みなんて関係なかったんだよ。原因は他にあったんだ。おい、小鳥」

「は、はい」

呆然《ぼうぜん》と立ち尽くしていた僕は、突然声をかけられ背筋を伸ばした。

「なにぼーっとしているんだよ。採血だ。さっさと採血をするんだ」

「わ、分かりました。辰馬君、ちょっと冷たいとは思うけど、上着を脱いでここで横になって」

「え? あ、はい」

目を泳がせながら返事をすると、辰馬は革ジャンを脱いでためらいがちに屋上に仰向けになる。そうしている間にも、じわじわと変色している部分は指先から広がっていく。

急がなくては。ひざまずいた僕は辰馬の腕に素早く駆血帯を巻いた。すぐに静脈が怒張してくる。ありがたいことに、辰馬の腕の静脈はかなり太く、薄暗いこの屋上でも容易に採血できそうだった。

アルコール綿で皮膚を消毒すると、僕は静脈に注射針を刺す。針先が血管壁を貫く感覚を確認して、片手で押し子を引こうとした。しかし、なぜか指先に抵抗があり、血液を引き込めなかった。

「えっ？」

押し子をさらに強く引く。しかしやはり採血はできない。

なんで？　間違いなく血管に針は刺さっているはずなのに。

戸惑っていると、鷹央がすぐ隣に片膝《かたひざ》をつき、針が刺さっている部分のすぐそばにココアの缶を押し当てた。

「鷹央先生？　なにしているんですか？」

「いいから、採血に集中しろ」

「いや、なぜか血液が引けなくて……」

そのとき、唐突に指先にかかっていた抵抗がなくなった。押し子がスムーズに引かれ、注射器内に血液が流れ込んでくる。

「あれ？」

僕は目をしばたたかせながら採血を終えると、駆血帯を外し、血液をスピッツに移していく。

缶を当てたから採血ができたのか？　もしかして、ココアを買ってきたのは飲むためではなく、このため？

温かいココアの缶を当てたことで採血ができた。それって、もしかして……。

頭の中に一つの疾患が浮かんでくる。

「これで、お前の体が『腐った』原因が分かったぞ」

ココアの缶をお手玉でもするように宙に放りながら、鷹央は得意げに胸を張る。

「本当ですか⁉」

辰馬が上体を起こして叫ぶと、鷹央は左手の人差し指を立てた。

「ああ、お前は寒冷凝集素症だ」

＊

「あの……、そろそろ説明してもらえませんか？」

ソファーに座って両手で持ったココアの缶をすする鷹央に（結局飲むらしい）、辰馬が声をかける。

数分前、辰馬に病名を告げた鷹央は「ここじゃあ寒いし、いったん部屋に戻ろうぜ」と言いだした。

辰馬と椿は一刻も早く説明して欲しいのか、不満げな表情を浮かべつつも指示に従った。

「だから、寒冷凝集素症、それが人混みで体が『腐った』原因だよ」

ココアを飲み終えた鷹央は、満足げにほぅと息を吐く。

「あの……、そのかんれーなんとかって、何なんですか？」

椿が心配そうな口調で訊ねる。辰馬の顔にも不安が色濃く浮かんでいる。それはそうだろう。いきなり、聞いたこともない疾患名を言われたのだから。

「寒冷凝集素症は自己免疫《めんえき》による溶血疾患の一種だ。原因不明の特発性と、マイコプラズマなどの感染の後に生じる続発性に分類できるが、ここまで症状が強いとなると、おそらく特発性の可能性が高い。まあ、普通はもう少し高い年齢で発症することが多いんだけどな」

缶をローテーブルの上に置いた鷹央は、左手の人差し指を立てながら話しはじめた。

「じこめんえき……？　ようけつ……？」

専門用語の多い説明に、椿と辰馬の眉根が寄る。

「えっとですね。自分の免疫によって血液中の赤血球が攻撃を受けて、破壊される病気のことです」

僕がかみ砕いて説明をすると、宮城姉弟は曖昧《あいまい》にうなずいた。

「寒冷凝集素症の患者には、寒冷刺激を受ける、つまりは温度が下がると赤血球に結合して、血液を凝集させる抗体が存在しているんだ。簡単に言えば、冷えると血が固まるっていうことだな」

「じゃあ、俺の体が腐ったのって……」

辰馬が目を見開くと、鷹央は左手の人差し指を左右に動かした。

「あれは本当に腐っていたわけじゃない。血液が固まることにより末梢《まっしょう》血管が詰まって、虚血を起こしたんだ。血液による酸素供給が途絶えた場所は、酸素不足に陥り青黒く変色する。お前はその色の変化を見て、体が腐ったと思ったんだ」

「それは……間違いないんですか……?」

辰馬は震える声で訊ねる。

「ああ、間違いない。この疾患の特徴として、温められることで抗体は赤血球との結合を保てなくなり、血液がもとの状態に戻るんだ。渋谷駅で出た症状が、走ってこの部屋まで戻って来たら消えていたのは、運動によって体が温まったからだろうな。それにいまだって、暖かい部屋に戻ることで指の色は戻ってきているだろ」

辰馬は自らの両手を見る。たしかに手の指先にわずかに変色が見られるだけで、その範囲は明らかに小さくなっていた。

「ちなみに、さっき採血ができなかったのも、寒冷凝集素によって血が固まっていたせいだ。だから、採血部位の近くをココアの缶で温めたら採血できた。この疾患で時々見られる症状だよ」

「でも、症状がでるのはいつも、人混みの中だったんですよ。渋谷駅に行く以外にも、寒い日に外出することはありました。けれどそのときは何も起こりませんでした」

　辰馬が納得できない様子で言う。

「寒冷凝集素による血液凝集が生じるのは、温度が三十二度以下ぐらいになった時だ。恒温動物である人間は、外気温が冷たいからといってすぐに体温が下がったりはしない。ただ、ある程度の時間、低温に晒《さら》された場合、体の末端部の血管を締めることで熱の放散を防ぎはじめる。簡単に言えば、体の中心部の温度を保つために、手足の指先や耳の温度が下がっていくんだ。お前の場合は、ここから渋谷駅まで徒歩で移動する約二十分、それだけの時間冷気に晒されてはじめて、指先や耳の温度が三十二度以下まで下がったんだろう。最初に『体が腐った』ときも、二、三十分、外に立っていたんじゃないか？」

　鷹央が水を向けると、辰馬がためらいがちにうなずいた。

「は、はい……。渋谷の駅前で、東京に出てこられたって感動したのと、あまりにも人が多くて圧倒されたんで、かなりの時間外に立っていました」

「そのせいで体が冷えて血液の凝集が起こったんだ。そして、はじめて症状が起こったのが人混みの中だったことから、お前はそれが原因で体が『腐る』と思い込んでしまった。その後に渋谷駅に近づくたびに症状が起きたのも、ここから渋谷駅までの移動時間と、末梢が冷えるまでの時間が一致していたからだ。近くにあるスーパーや病院に行くぐらいの時間では、そこまで指先や耳の温度が下がらなかったんだろうな」

「でも、それっておかしくないですか?」

疑問をおぼえた僕は、思わず口をはさんでしまう。鷹央は「何がだよ?」と横目で睨んできた。

「だって、東京に出て来るまで症状が起きたことはなかったんですよね。普通に考えたら、これまで冬に長時間外を歩いたことぐらいあるはずです。なんでその時は異常がなくて、東京に来て初めて症状が出たんですか」

「なんだ、そんなことかよ」鷹央は面倒くさそうに頭を掻く。「こいつらの苗字《みょうじ》を見れば、それくらい予想がつくだろ」

「苗字?」

意味が分からず、聞き返してしまう。鷹央はこれ見よがしにため息をつくと、宮城姉弟に向き直った。

「お前たちの実家って、沖縄なんじゃないか?」

鷹央の質問を聞いた瞬間、僕の口から「あ……」という呆《ほう》けた声が漏れた。

「は、はい、そうです。沖縄の離島です」

椿がうなずくと、鷹央は満足げに口角を上げた。

「やっぱりな。宮城という苗字は全国的に見られるけど、特に沖縄で多い。お前たちが沖縄出身なら、東京に出て来てはじめて寒冷凝集素症の症状が出たのも当然だ」

「それって、気温が……」

辰馬が口を半開きにしながらつぶやくと、鷹央はうなずいた。

「そう、暖かい沖縄の気候では、寒冷凝集素が反応するほどは体温が下がらないんだよ。だから東京に来て、沖縄では経験したことのない冷気に晒されてはじめて、寒冷凝集素症の症状が現れたんだ」

鷹央は『証明終わり』とばかりに人差し指を立てた手を振った。鮮やかに下された診断に圧倒され、部屋に沈黙が下りる。

辰馬がおずおずと口を開いて、沈黙を破った。

「あ、あの……。俺はこれからどうなるんですか？　これって治療すれば治ったりは……」

「寒冷凝集素症を完治させる治療法は、残念ながら存在しない」

鷹央の回答に、辰馬の表情が歪む。

「じゃ、じゃあ、俺はもう東京にはいられないってことですか？　俺、東京で音楽をやるのが夢だったんです。そのために、必死にバイトして東京に出てきたのに……、諦《あきら》めるなんて……」

拳《こぶし》を握りしめる辰馬に、椿が哀しげな視線を向ける。

「諦める必要なんてないぞ」

こりこりとこめかみを掻く鷹央の言葉を聞いて、辰馬は「えっ？」と声を漏らす。

「寒冷凝集素症に対する根本的な治療はない。けれど、この疾患は軽い溶血を起こしたり、指先や耳が青くなったり痛くなったりするぐらいで、大きな問題を起こすことはほとんどない。それに、症状を出さないことはそれほど難しいことじゃない。体を冷やさなければいいんだ。特に指先や耳をな」

「そ、それじゃあ……」

辰馬は目をしばたたかせる。

「寒い屋外に出るときは、あんな革ジャンじゃなくて、もっとしっかりとした防寒具を着るんだ。あと、耳を冷やさないように耳当てをして、症状が出たらすぐにその部位を温められるように懐炉も持っておいた方がいいな」

「そ、それだけでいいんですか？」

「ああ、しっかり防寒をすること、それがこの疾患で一番大切なことだ。それにあと一ヶ月もすれば、東京もかなり暖かくなってくるはずだ。そうなれば、また冬になるまで、当分は症状がでることもないだろう。渋谷駅まで歩いても、体が腐ったりはしなくなるはずだ」

辰馬が「ああ……」と声を漏らしながら両手で顔を覆った。その肩に椿が優しく触れる。

「よかったですね」

寄り添う姉弟を眺めながら、小声で声をかけると、鷹央の眉間《みけん》にしわが寄った。

「体が腐ろうが腐るまいが、私なら二度とあんな人混みに近付かないけれどな」

＊＊＊

二日後の午前八時半、僕は一枚の紙を片手に、天医会総合病院の屋上に建つレンガ造りのファンシーな建物の前に立っていた。統括診断部の医局も兼ねる、鷹央の〝家〟。

「おはようございます」

挨拶をしながら玄関扉を開けると、手術着姿の鷹央がソファーに横たわり、分厚い図鑑を眺めていた。背表紙には『深海生物大全集』と記されている。いったいなにを読んでいるのやら。

「おう」

鷹央は図鑑をわきに置くと、横になったまま片手を上げる。

「辰馬君の検査結果、出ていましたよ」

僕は鷹央に近づくと、手にしていた検査結果の用紙を差し出す。一昨日《おととい》の夜、鷹央を送って病院に戻ってきた際、辰馬から採血した血液を臨床検査部に提出しておいたのだ。今朝確認したところ、すでに検査結果が出ていた。

「おっ、どうだった？」

鷹央は上機嫌で用紙を受け取る。

「先生の予想どおりですよ。寒冷凝集素反応が強陽性、寒冷凝集素症で間違いないですね」

「そうか。それじゃあ予定通り、宮城辰馬を紹介してきたドクターに、この検査結果を添えて回答しておいてくれ。保温さえしっかりしておけば、日常生活に支障をきたさないことが多い疾患だから、家から近いあっちの病院で定期的に診察を受けるのがいいだろ」

「分かりました……。あとで回答を書いて、送っておきます」

僕が答えると、鷹央はソファーに横たわったまま小首をかしげる。

「どうした？　なんかやけにテンション低くないか？」

「そんなことないですよ……」

口から出た言葉は、自分でも分かるほど覇気がないものだった。鷹央は首を傾けたまま、僕の顔を覗き込んでくる。その口角がゆっくりと上がっていった。

「もしかしてお前、宮城椿にフラれたことを、まだ引きずっているのか？」

「フラれていません！」

「おいおい、どうしたんだよ。お前が女にフラれるのなんて日常茶飯事だろ。そんな落ち込むなって」

鷹央はソファーから跳ね起きると、ケラケラ笑いながら僕の背中を叩《たた》く。

「だから、あれはフラれたわけじゃないって言ってるじゃないですか。本当にほっといて……」

僕は背中を丸くしながら、二日前のことを思い出す。

宮城辰馬の診断を終えて帰る際、椿はコインパーキングまで見送りに来てくれた。挨拶をして車に乗り込もうとしたとき、突然鷹央が耳打ちをしてきたのだ。「おい、あいつを誘ったりしないのか？」と。

最初は、さすがに患者の家族をと思っていたが、鷹央が熱心に勧めるので思わずその気になってしまい、食事にでも誘おうかと車のそばに立っていた椿に近づいていった。

僕が椿に話しかけようとすると、それを遮るように鷹央が言った。

「そういえば、お前は四月にここから引っ越すんだよな、なんでなんだ？」

鷹央の質問に、椿ははにかみながら答えたのだった。「以前から交際している人と結婚することになって、新居に引っ越すんです」と。

あの時のことを思い出し、僕は鷹央に湿った視線を投げかける。

「先生は気づいていたんでしょ。椿さんがもうすぐ結婚するの」

あの日はショックで頭が回っていなかったが、あらためて思い起こすと、鷹央の行動はそうとしか思えない。

「もちろんだ」

鷹央は満面の笑みを浮かべる。

「いったい、なんで分かったんですか？」

「宮城姉弟の部屋に沖縄のリゾート地のパンフレットがあっただろ。沖縄出身の奴がわざわざそんな所に行くのは変だ。けれど、そこで結婚式を挙げようとしているなら納得がいく。そこなら親戚《しんせき》とかが呼びやすいだろうからな。それに、よくリビングを観察したら、マガジンラックの中にウェディング雑誌や結婚式場のパンフレットも入っていた。それで確信したんだ。宮城椿がもうすぐ結婚するってな」

「それじゃあ、辰馬君が『このままじゃ姉さんの……』とか言っていたのは、あの状態では椿さんが結婚して、マンションから出ていけないってことだったんですね」

僕がため息まじりに言うと、鷹央はうなずきながらソファーのアームレストにかけてあった白衣を羽織る。

「ああ、そういうことだ。さて、そろそろ仕事だな」

玄関に向かった鷹央が扉を開ける。室内に暖かい風が吹き込んできた。

「今日は暖かいな。春も近いですね」

僕がつぶやくと、鷹央は振り返って唇の片端をあげる。

「お前にはなかなか春がこないけどな」

「……だからほっといてくださいってば」

かぶりを振る僕に、鷹央は上機嫌に言った。

「そう、腐るなって」

Karte. 02
永遠に美しく

きれい……。

南原松子《なんばらまつこ》は鏡の前で目を細めながら、右手で自らの頬に触れてみる。鏡の中の女もその艶《つや》やかな肌に触れた。指先に感じる弾力に口元が緩む。

半年、わずか半年前まで、私は萎《しお》れ果てていた。七十年以上を生き、五年前には夫に先立たれた私は、まるで枯れ木のようだった。

若い頃は容姿に絶対の自信を持っていた。子供の時から近所では器量よしとして有名で、成長してからは数え切れないほどの男が言い寄ってきた。求婚された回数も、両手の指では数え切れないほどだ。

けれど、自慢の美貌《びぼう》を時間がゆっくりと削りとっていった。いつの頃からだろう、鏡を見ることが怖くなったのは。薄紙が剝《は》がれていくように、自分の顔から『美』が消えていくことに恐怖を覚えはじめたのは。

還暦を過ぎてようやく、『美』が消え去った自分を受けいれることができた。

いや、違う。私は受けいれたと自分を騙《だま》していただけだった。深いしわが刻まれ、張りのなくなった皮膚を鏡の中に見るたびに、胸の奥に鈍い痛みが走っていたが、どうすることもできなかった。半年前までは……。

松子は視線を上げる。鏡の中に立つ女の姿は、一見すると五十歳前後に見えた。肌は蛍光灯の光を反射してみずみずしく光り、かつては彫刻刀で削ったかのように深く刻まれていたしわも目立たなくなっている。

全部あの人のおかげだ。脳裏に愛《いと》しい男の姿が浮かび、胸が熱くなる。

あの人が私に魔法をかけてくれた。あの人のおかげでまた『女』に戻ることができた。松子は手を伸ばし、鏡の表面を指で撫《な》でる。

あの人といる限り、あの人が愛してくれる限り、私は美しくいることができる。私は二度と『美』を失わずにすむ。

きっと永遠に……。

松子は微笑《ほほえ》む。鏡の中の女も艶《あで》やかな笑みを浮かべた。

1

「母に恋人ができたんです」

天医会総合病院十階にある統括診断部外来診察室。そこに通された島崎《しまざき》美奈子《みなこ》という名の中年女性は、椅子《いす》に座るなりそう言った。

「はぁ、お母様に恋人が……」

気のない返事をしながら、僕は横目で掛け時計に視線を向ける。時刻は午後八時近かった。

四月下旬の金曜日、西東京市にある清和《せいわ》総合病院で起きた『透明人間による密室殺人』の謎《なぞ》を鷹央《たかお》が解き明かし、この病院の研修医である鴻ノ池舞《こうのいけまい》の疑いを晴らしてから、一週間ほどが経過していた。

二時間前まで僕は、週に一日派遣されている救急部で、馬車馬のように働いていた。できることなら早く家に帰って体を休めたいところだが、なぜかこんな時間まで病院に残るはめになっている。

僕は一瞬振り返って、背後を見る。そこには若草色の手術着のうえに白衣という、いつも通りの姿の鷹央が腰掛けていた。さっき、救急勤務を終えて帰り支度をしていたところを、鷹央に院内携帯で呼び出されたのだ。

「なにか用ですか?」

二時間ほど前、僕は救急部のユニフォーム姿のまま、屋上に建っている鷹央の自宅兼、統括診断部の医局を訪れた。すると、薄暗い部屋の中、パソコンの前に腰掛けていた鷹央は椅子ごと振り返って笑みを浮かべた。

「今晩、ちょっと残れ」

以前はとりあえず「今晩あいているか？」と、こちらの予定を訊《き》いていたのに、最近はそれすらしない。まあ、以前だって『訊いてみる』だけで、予定があろうがなかろうがお構いなしだったので、実質的にはあまり変化はないが。

「残れって、なにかあるんですか？　疲れているんで、さっさと帰りたいんですけど……」

僕が露骨に気乗りしない雰囲気を醸《かも》し出しながら訊《たず》ねると、鷹央はパソコンのディスプレイを指さした。

「メールで面白い相談が入ったんだ。あと一時間四十八分で依頼者がここに来る予定だ」

僕がこの天医会総合病院統括診断部に入職してからの九ヶ月で、鷹央は大小様々な事件を解決に導いてきた。その噂《うわさ》は人づてに広まり、統括診断部のメールアドレスには、ちょこちょこと相談や捜査の依頼が入るようになっていた。

統括診断部を探偵事務所かなにかと勘違いしたそれらのメールは、基本的に無視するようにしている。しかし、依頼の中にごくまれに、鷹央の無限の好奇心をくすぐってしまう『謎』を含んだものが混ざっている。それを見つけると、鷹央は喜び勇んでその依頼を受けてしまう。そして、きまって僕も巻き込まれるのだ。

「今度はいったいどんな相談なんですか」

一度好奇心に火がついた鷹央を、止めようとするだけ無駄だ。これまでの付き合いでそのことを学習していた僕がため息をつくと、鷹央はにやりと笑みを浮かべた。

「すごいぞ、女の夢だ」

「女の夢？」

「若返りの秘術だってよ！」

鷹央は万歳をするように両手をあげたのだった。

約二時間前の出来事を思い出しながら、僕は美奈子の話に耳を傾ける。

「母は今年で七十二歳で、五年前には父を亡《な》くしています。その母に半年ぐらい前から恋人ができたらしくて……」

そこで言葉を切ると、美奈子は悔しそうに唇を噛《か》む。

「あの、そんなに悪いことではないんじゃないですか。そのお年になっても人生を楽しんでいらっしゃるということですし」

僕がおずおずと言うと、美奈子は力なく顔を左右に振った。

「ええ、たしかに恋人を作ること自体は問題ないんです。父が亡くなってからというもの、母はすごく落ち込んで、元気がなかったですから、そのショックから立ち直ってくれたこと自体は良かったと思っているんです。ただ、相手が問題で……」

「と言いますと？」

水を向けると、俯《うつむ》いていた美奈子が勢いよく顔を上げた。

「とんでもなく胡散臭《うさんくさ》い男なんです。近所で鍼灸院《しんきゅういん》みたいなものを開業しているんですけど、最近は大金を取って、『若返り治療』とかやっているらしいんです」

ああ、ここで『若返り』とやらが出てくるのか。メールには『怪しい若返り治療のことで相談させて欲しい』ということしか書いていなかったが、ようやく話がつながった。

「お母様もその男に大金を払っているんですか？」

「『若返り治療』を受けていることは確実なんですが、お金に関してはよく分からないんです。私の父は生前、大きな税理士事務所を経営していまして、こう言ってはなんですが、かなりの資産家でした。ですから、母はそれなりの金額を相続しているはずです。その管理は母が個人でやっていますので、どれくらいお金を使ったかは私には……」

口ごもる美奈子を見ながら僕は頷《うなず》く。

「お話は分かりました。つまり、お母様が怪しげな男と付き合って、その男に『若返るから』とだまされて、大金を奪われているかもしれないということですね。ただ、そういう問題なら、弁護士とか消費者センターの方が……」

「違うんです！」

僕が話をまとめようとすると、美奈子は甲高い声を上げた。

「違うと言いますと？」

「お金のこともたしかに心配ですけど、一番心配なのは母自身のことなんです。母はこの数ヶ月で……本当に若返っているんです！」

「はぁ？」意味が分からず、思わず呆《ほう》けた声が出る。

「ですから、あの男と付き合いだしてから、母は若くなっているんです。もう一目見ただけで明らかに分かるぐらい」

「えっとですね……、それは恋人ができたのでファッションに気をつけたり、化粧をしっかりするようになったとか、そういう理由ではないかと」

「そんな生やさしいレベルじゃないんです。これを見てください！」

美奈子は膝《ひざ》の上に置いていたバッグを開けると、中から二枚の写真を取りだし、その一枚を差し出してきた。

「あの、これは？」

「一年前の母の写真です」

写真を受け取った僕に、美奈子は言う。写真には着物を着た高齢の女性が写っていた。染めているのか髪は黒いが、その顔には年齢を重ねてきた証《あかし》であるしわが深く刻まれていた。弱々しく微笑んだ表情からは、強い疲労が見て取れる。

「そして、これが先週撮影した母です」

美奈子はもう一枚の写真を差し出してくる。

「……えっ⁉」

僕は目を剝《む》いた。その写真にも着物姿の女性が写っていた。しかし彼女はもう一枚の写真の女性とは別人のようだった。

顔のしわは目立たず、皮膚には張りと光沢が見られる。生き生きとした笑みを浮かべる表情には生命力が漲《みなぎ》っていて、目には強い意志の輝きが見られた。

僕は目を凝らして二枚の写真を見比べる。たしかに写真に写っている女性は同一人物のようだ。よくよく見てみると、目鼻立ちが似ているし、右目の下にあるほくろの位置も一致する。

「あの、本当にこっちの方が最近撮影したものなんですか？」

僕は若く見える方の写真を指さしながら言う。美奈子は口をへの字に歪《ゆが》めると、重々しく頷いた。

「はい、間違いありません。それが現在の母です。そちらの方が若く見えるでしょう」

「……ええ、たしかに」

先週撮ったという写真に写っている女性は、一見したところ五十歳前後、いやもっと若くさえ見えた。切れ長の目、すっと通った鼻筋、薄い唇。若いときはかなりの美人だったことが想像できる。いまでも、年配の男なら十分に惑わすことができるだろう。そう確信させるだけの艶やかな雰囲気が、その写真から匂《にお》い立っていた。

「最近、母と二人で歩いていたりすると、よく姉妹に間違われるんです。しかも、私の方が姉だと思われることが多いんですよ」

美奈子は悔しそうに唇を噛む。母親が自分よりも若く見られたら、女性としてはかなりショックだろう。

「おお、これはすごいな」

すぐ背後から声が聞こえてきた。振り返ると、椅子に座っていたはずの鷹央がいつの間にか立ち上がり、僕の肩越しに写真を眺めていた。その目が好奇心できらきらと輝いているのを見て、頬が引きつる。どうやら、『若返りの謎』が鷹央の心の琴線に触れてしまったらしい。面倒なことになりそうだ。

「これは化粧とか服装とかそういう問題じゃないな。明らかにしわが減って、皮膚に潤《うるお》いが戻っている。本当に若返っているように見える」

興奮気味に鷹央は言う。

「そうなんです。間違いなく母は若返っているんです。最初は気のせいかもしれないと思っていたんですけど、最近は特に変化が激しくて。しかも、変化したのは外見だけじゃないんです。以前に比べて活動的になってきて、食事量もかなり増えているんです。こんなの、あまりにも異常です」

美奈子の表情が不安げに歪んだ。

「ちなみに、若返りはじめたのはいつ頃からなんだ？」

写真から視線を外すことなく、鷹央は質問する。

「気付いたのは半年ぐらい前からでした。その時は、最近元気が出てきたなって喜んでいたんです」

「けれど、あまりにも劇的に変化しはじめて、不審に思ったんだな。ちなみに、母親は若返った原因についてはなにか言っているのか？」

「……はい。近所の鍼灸師から『特別な治療』を受けているって。そのおかげで美しさを取り戻すことができたって喜んでいました」

美奈子は膝の上に置いた両手をぎゅっと握り込む。

「その『特別な治療』っていうのはどういうものなんだ？」

鷹央は僕の肩に手を置いて身を乗り出す。

「母から聞いた話では、『気』を使って全身の細胞を活性化させ、若返らせるらしいです」

「気？」

あまりにも非科学的な単語に、僕は思わず声を上げてしまう。

「ええ、母はそう言っていました。馬鹿《ばか》らしいですよね、そんなの。だから私は、そんな怪しいものを受けるの、やめた方がいいって言ったんです。そうしたら母がこれまで見たことないほど怒り出して。あの先生は本物だ。本当に素晴らしい人で、自分の人生を変えてくれたって力説しだしたんです。あまりにも熱心にその鍼灸師のことを褒めちぎるんで、怪しく思って母を問いただしました。すると、三ヶ月ぐらい前から、その鍼灸師と交際しているって……」

美奈子は頭痛でもするのか、頭を押さえる。

「その鍼灸院に通いはじめたのは、若返りはじめた半年前からなのか？」

鷹央が質問すると、美奈子は顔を左右に振った。

「いえ、どうやら一年ぐらい前から知り合いの紹介で、通っていたみたいです。もともと母は腰痛《ようつう》で悩んでいたので、その治療をしてもらっていたということです」

「そして、半年前からは『気』を使った『特別な治療』を受けるようになり、そして本当に若返りはじめたと」

鷹央は両手を組むと、うんうんと頷く。美奈子はそんな鷹央にすがるような視線を投げかけた。

「どんなに言っても、母はあの男との交際も、治療を受けることもやめてくれないんです。私、あの男が母になにかおかしなことをしているんじゃないかと不安で……。先生、そんな時に先生の噂を聞いて、藁《わら》にもすがる思いで連絡させていただきました。先生、母になにが起こっているのか分かりますでしょうか？」

鷹央は腕を組んだまま数秒考え込んだあと、天井を仰いでぼそりとつぶやいた。

「命短し恋せよ乙女……か」

「はい？」美奈子はいぶかしげな表情になる。「なんのことです？」

「女が綺麗《きれい》になる理由を考えていたんだよ。昔から『恋する乙女は美しい』とか言われているだろ。あれは医学的にも正しいんだ。女は誰かに恋をした時、エストロゲン、つまりは女性ホルモンの分泌《ぶんぴつ》量が増加する。エストロゲンには肌つやをよくしたり、女らしい体つきにする作用がある。つまりは女として美しくなるんだよ」

「本当ですか？」

疑わしげな声を上げる僕を、鷹央が睨《にら》んでくる。

「本当に決まっているだろ。たしか論文もあったはずだぞ。ちなみに、恋する相手はべつに実在の男である必要はない。相手が同性であろうと、マンガやアニメなど二次元のキャラであっても、恋すればエストロゲンの分泌が増加することが分かっている」

「はあ、二次元の……」

どう反応してよいのか分からず、僕はこめかみを搔《か》く。

「それって、うちの母がその鍼灸師に恋をしたから若返ったってことですか？」

ためらいがちに言う美奈子に向かって、鷹央はぱたぱたと手を振った。

「いやいや、違う違う。あくまでいまのは一般論だ。たしかに恋によって女が美しくなることはあるが、ここまで変化することはない」

鷹央は僕の手から二枚の写真を奪い取った。

「この写真を一見したところ、二十歳以上若返っているかのように見える。これは、少しばかりエストロゲンの分泌が増えたからといって起こるようなものじゃない」

「じゃあ、やっぱりあの鍼灸師が母になにかしているんですね！　お願いします、先生。あの男はきっと母を騙しているんです。どうかあの鍼灸師の正体をあばいてやってください」

美奈子が勢いよく頭を下げるのを見て、僕は違和感を覚える。

「あの、失礼なことを伺いますけど、なんでそこまで必死になっているんですか」

僕が質問すると、美奈子は顔を上げ、鋭い視線を投げかけてきた。

「どういう意味ですか？」

「いえ、たしかにお母様が異常なほど若返って不安になる気持ちはわかりますけれど、お母様自身は元気になって、喜んでいるんでしょう？　それなら、その鍼灸師をそこまで……なんと言いますか、目の敵にしなくても……」

僕がおずおずと言うと、美奈子は「それは……」と口を濁す。

「遺産が心配なんじゃないか？」唐突に鷹央が言った。

「遺産、ですか？」予想外の単語に、僕は首を捻《ひね》る。

「ああ、そうだよ。さっき、母親がかなりの財産を持っているって言っていただろ。その母親が亡くなった場合、遺産はその子供に相続されるはずだ。いまのままならな」

鷹央がなにを言っているのかに気づき、僕は顔を引きつらせる。たしかに鷹央の想像は正しいのかもしれない。しかし、本人の前でそれを指摘するのは……。

僕は慌《あわ》てて、美奈子に気付かれないように鷹央に目配せをする。

「ん？　どうした小鳥《ことり》。ウインクなんかして。目にゴミが入ったか？」

「いえ、そうじゃなくて……」

「まあいいか。このままだと、母親がその鍼灸師と結婚するなんて言い出すかもしれない。そうなれば、受け取れる遺産はぐんと少なくなる」

僕が焦《あせ》るのを尻目《しりめ》に、鷹央はぺらぺらと話し続けた。正面に座る美奈子の顔が紅潮していく。

「そんなんじゃありません！」

怒声が診察室の壁を震わせた。

「どうしたんだ？　急に大きな声を出して」

鷹央は不思議そうに目をしばたたかせる。

「どうしたって……、私が母の遺産目当てでこんなことをしているなんて……。まるで私が母に死んでほしがっているみたいな」

怒りで舌が回らないのか、美奈子は途切れ途切れに言う。

「母親に死んでほしがっている？　そんなこと一言も言っていないぞ。ただ、死後の遺産についての話をしているだけだ。なにかおかしいか？」

鷹央のセリフがさらに美奈子の怒りに油を注いでいく。美奈子は酸欠の金魚のように、ぱくぱくと口を動かした。

やっぱりこうなったか。僕は片手で顔を覆《おお》う。

鷹央はなんの悪気もなく、僕の疑問に答えただけなのだ。言葉をオブラートに包んだり、ＴＰＯに合わせた発言をする能力を鷹央は持ち合わせていない。

「あ、あの、遺産とかじゃなくて、お母様が心配なんですよね。あまりにも急に変化がありすぎて、その鍼灸師がお母様の健康を害するようなことをしていないか」

僕は慌ててその場を取り繕う。美奈子は僕に向き直ると、「そうですけど、それだけじゃありません」とつぶやいた。

「それだけじゃないと言いますと？」

美奈子は胸に手を置くと、大きく息を吐いた。少しは冷静さを取り戻してくれたようだ。

「この二、三ヶ月、母が知り合いにその鍼灸師を紹介しているんです。すごく腕のいい先生がいるから、ぜひ一度治療を受けてみてって」

「その鍼灸院の宣伝役を引き受けているってことですか」

僕の言葉に、美奈子は硬い表情で頷く。

「はい。急に若返った母を見て、自分も治療を受けたいって言う人がたくさんいるようなんです。そんな人たちから、その鍼灸師はかなり高額の費用をとっているとか……」

「つまり、その男がなにか法に触れるようなことをやっていた場合、母親が共犯者になるかもしれないと心配しているんだな。なるほど、それならそうと早く言えばいいのに」

うなずく鷹央に向かって、美奈子はなにか文句でも言うように口を開きかけるが、すぐに不満げな表情で口をつぐんだ。言っても意味がないと思ったのかもしれない。賢明な判断だ。

「高額っていうと、どれくらいなんですか？」

「はっきりとは知らないですけれど、普通の整体とかでは考えられない金額みたいです」

　僕の質問に、美奈子は弱々しく答える。

　なるほど、なんとなく事件の全容は見えてきた。問題はなぜ美奈子の母親がここまで若返ったかだ。まさか本当に『気』ってことはないだろうが……。

「他の奴《やつ》らは若返っているのか？」

　再び腕を組んだ鷹央が、ぼそりとつぶやく。美奈子は「え？」と声を漏らした。

「だから、お前の母親に紹介されて、その鍼灸師の『特別な治療』を受けた奴らだよ。そいつ等もお前の母親のように若返ったのか？」

　美奈子は渋い表情を浮かべながら、ゆっくりとうなずいた。

「……はい。みんな若返っています。私が知っているのは三人だけですけど、母の紹介で『特別な治療』を受けたその三人は、一見して分かるぐらい若返っているんです」

「……面白いな」

　鷹央は唇の両端を上げて、にっと笑みを浮かべた。

2

「せっかくの休みなのに……」

「あ？　なんか言ったか？」

RX－8のハンドルを握る僕が口の中で小さく転がしたグチを、助手席に座った鷹央が耳ざとく聞きつける。相変わらずの地獄耳だ。

「いえ、べつに。ただ、わざわざここまでしなくてもいいんじゃないかなぁ、とか思っただけで」

「ここまでしなくてもってどういうことだよ？　とりあえず本人と会うのは、調査の基本だろ」

「そもそも、僕たちが調査する必要あるんですか？」

思わず本音が漏れてしまう。横顔に鷹央の湿った視線が注がれた。

「お前、南原松子の異常な変化を見て、気にならないのか？」

「いやまぁ、気にならないと言えば嘘《うそ》になりますけど……」

ただ、休日ぐらい鷹央に振り回されることなく羽を伸ばしたいのだ。

「そうだろ。謎があればどんな手段を使ってもそれを解明する。それが科学者というものだ」

満足げにうなずく鷹央を横目に、僕はため息をつく。

僕は科学者じゃなくて医者なんだけど……。まあ、医者も大きなカテゴリーでは科学者に入るのかもしれないが。

「それで、南原松子の家はまだなのか？」

「カーナビによると、あと五分ぐらいで着きそうですね」

昨日、南原松子の娘である島崎美奈子の話を聞き、無限の好奇心を激しく刺激された鷹央は、「ぜひ詳しく調べたい！」と言い出した。

最初、鷹央は南原松子を病院に連れてきてもらい、様々な検査を受けさせて『若返り』の秘密をあばきたいと希望したのだが、それを聞いた美奈子は哀《かな》しげに顔を左右に振った。

「何度も母を病院に連れて行こうとしました。あまりにも異常な変化だったんで、ちゃんと検査して欲しかったから。けれど、そのたびに母は『私は病気じゃない！』って怒り出すんです」

それを聞いた鷹央は間髪いれずに、「じゃあ私から会いにいこう」と言い出したのだ。

かくして僕は、貴重な休日を潰《つぶ》して鷹央の運転手となり、西東京市にある南原松子の自宅まで車を走らせていた。こんな医師としての仕事を完全に逸脱した任務など、きっぱりと断ればいいのかもしれない。しかし、そんなことをすれば鷹央の機嫌を損ね、また子供じみた嫌がらせをされるのは目に見えているし、ボーナスの査定もひどいことになりかねない。それになにより、鷹央を一人で行動させるのは不安だった。コミュニケーション能力に多大なる問題があるこの年下の上司は、あらゆる場面でトラブルを起こしがちだ。それを最小限に防ぐのが、統括診断部での僕の主な仕事だったりする。

「それで、先生には目星がついているんですか？　なんで南原松子が若返ったのか」

僕が疲労を覚えながら訊ねると、鷹央は屈託ない笑みを浮かべた。

「いろいろ可能性は考えているぞ。ただ、本当に『気』によって若返るなら、ぜひそれを見てみたいな」

「『気』ですかぁ？　いくらなんでもそれは胡散臭すぎませんか」

「胡散臭かろうがなんだろうが、私は最初から可能性を否定はしないぞ。くだらない常識にとらわれていたら、新しい発見なんてできない」

「まあ、そうかもしれませんけど……」

だからって『気』で若返るなんて……。

「もちろん、『気』以外の可能性も考えてはいるぞ」

「それって、たとえばどういうことですか？」

「内緒だ」

鷹央はにやにや笑いながら、人差し指を唇の前に持ってきた。相変わらずの秘密主義。僕は軽く肩をすくめつつカーナビに視線を向ける。目的地まですぐのところまで来ていた。ＲＸ－８を近くにあったコインパーキングに滑り込ませる。

車から降り、昨日教わった住所へ向かうと、門扉《もんぴ》の前に美奈子が立っていた。僕たちに気づいた美奈子は会釈《えしゃく》をしてくる。

「わざわざおいでいただいて、ありがとうございます」

「これが南原松子の家か？　一人で住んでいるのか？」

挨拶《あいさつ》をする美奈子に鷹央が近づく。門扉の向こう側には芝生が敷き詰められた広い庭が広がっていて、その奥に二階建ての洋館が建っていた。いくら都心から離れているとはいえ、かなりの財力がなければこれだけの家には住めないだろう。南原松子が資産家というのは本当のようだ。

「はい、時々私が顔をだしたり、人を雇って掃除をさせたりしていますが、基本的には母が一人で住んでいます」

これだけ大きな家に一人で住むのは、かなり寂しいだろう。怪しい鍼灸師は、その心の隙間《すきま》にうまく入り込んだのかもしれない。

「よし、それじゃあさっそく話を聞こうか」

鷹央はまったく躊躇《ちゅうちょ》することなく門扉に手を掛けた。

「あ、あの。昨日打ち合わせしたとおり、母にはあの鍼灸師について聞きたがっている人がいる、ということしか言っていません。くれぐれも医者であることは隠しておいてください」

美奈子が慌てて言うと、鷹央はおざなりに頷いた。

「ああ、分かっているって。それよりも早く話を聞かせてくれ」

軽い足取りで屋敷に向かっていく鷹央に、僕は嫌な予感を覚えながらついていくのだった。


「美味《おい》しい？」

「うん、……うまい」

リスのように口いっぱいにクッキーを頬張りながら、鷹央は答える。正面の席に座った南原松子は、孫を見つめるような柔らかい眼差《まなざ》しで鷹央を眺めていた。

屋敷の主《あるじ》である松子は、美奈子とともに訪れた僕たちを笑顔で迎え入れ、このダイニングで紅茶とクッキーを振る舞ってくれた。ちなみに、僕と鷹央は遠い親戚《しんせき》で、美奈子から『若返り治療』の噂を聞いて興味を持ったということにしてある。

僕は紅茶をすすりながら、松子を観察する。昨日見た写真は偶然若く写った一枚で、実際は年相応に老《ふ》けているのかもしれないと思っていたが、松子は写真よりもさらに若くさえ見えた。

たしか美奈子の話では七十二歳とのことだが、どう見ても五十前後に見える。特に肌はみずみずしく、それだけ見れば三十代でも通用してしまいそうだ。

「それで、お二人は秋源《しゅうげん》先生のお話を聞きに来たんですよね」

松子が笑みを浮かべたまま、話を切り出した。僕は横目で鷹央を見る。まだクッキーを口いっぱいに頬張ったままで、喋《しゃべ》れそうにないので、かわりに僕が口を開いた。

「あの、秋源先生というのは鍼灸師の……」

「あら、ごめんなさい。私ったら。神尾《かみお》秋源、それが先生のお名前なんです」

松子は心から幸せそうにその鍼灸師の名を口にした。松子の隣の椅子に座る美奈子は、そんな母親に冷めた目を向ける。

「神尾秋源先生ですね。その方が、なんというか……若返りを？」

僕の問いに、松子は力強く頷いた。

「ええ、そう。先生は本当にすごいんですよ。たしか、あなたたちの知り合いに、秋源先生の治療を受けたがっている人がいるんですよね？」

予想外の言葉に戸惑う僕に、美奈子が目配せを送ってくる。なるほど。そういうことにしてこの面談を設定したのか。それならそうと前もって言って欲しいものだ。

「ええ、そうなんです。その治療に興味を持っていまして。それで、ぜひお話をうかがえればと思ってお邪魔しました」

　僕は適当なことを言って誤魔化す。その辺りの機微が読み取れない鷹央が、隣から「なに言っているんだ、こいつ？」みたいな視線を投げかけて来るが、少なくとも口からクッキーがなくなるまでは、黙っていてくれるだろう。

「そうなんですね。それで、どんなことが訊きたいの？」

　松子は軽く身を乗り出してきた。

「えっとですね。具体的にはその若返りっていうのは、どうやって行うんですか？」

　とりあえず、当たり障《さわ》りのない質問からはじめてみる。

「簡単ですよ。一分ほど先生の両手を握っていればいいの。痛くも痒《かゆ》くもないわよ」

「えっ、それだけですか？　それでどうして若返るんですか」

「私も詳しくは分からないけれど、手から『気』を伝えて、細胞を活性化するんですって」

「はあ、『気』を……。一回受けただけで若くなるんですか？」

「いいえ、一回だけで効果がずっと続くってことはないんですよ。最初の一ヶ月は週に三回くらい、それからも、二週間に一回は治療を受けないとだめなの」

思ったより頻繁に受ける必要があるようだ。

「なるほど……。南原さんはかなり前からその治療を受けているんですか？」

「ええ、もともと私は腰痛がひどくて、一年くらい前から秋源先生のところに通っていたんです。腰の治療を受けている時、雑談で『若返ることができるような治療はないですかねえ？』って訊いたら、先生が『私の治療を受けたら若返りますよ』って言って。最初は冗談だと思っていたんですけど、先生の治療を受けているうちに本当に若返ってきたんですよ」

松子は心から嬉《うれ》しそうに微笑んだ。その笑顔はまるで少女のようで、目の前の女性が七十歳を超えているとは、どうしても信じられない。

「その治療を受けて、体調になにか変化はないのか？　たとえば体がだるくなったりとか、頭痛がするとか？」

ようやくクッキーを飲み込んだのか、鷹央が質問を開始する。

「そんなことは全然ありませんよ。体調はとってもいいの。それで、どなたが先生の治療を受けたいと思っているんですか？」

松子が訊ねると、鷹央は黒板に書かれた問題が解けた小学生のように、勢いよく左手を挙げた。

「私だ。もし可能ならぜひ私が体験してみたい！」

「え、あなたが？」

松子の目がいぶかしげに細められる。それはそうだろう。一見すると女子高生にしか見えない鷹央が、『若返り治療』を受けたいなどと言い出したのだから。

「いえ、言葉が足りなくてすみません、彼女の祖母が興味があって、お話を聞きにきたんです」

僕は慌てて誤魔化す。

「祖母？　なに言っているんだ？　私は自分で……」

「ややこしくなるから黙っていて下さい」

松子に聞こえないように小声で鷹央に耳打ちする。鷹央は唇を尖《とが》らせるが、とりあえず口をつぐんでくれた。

「ああ、そうなんですか、おばあさまが。それはきっと喜びますよ。最高のプレゼントです」

「それで、ちょっと伺いたいんですけど、その『若返り治療』はどれくらいお値段がかかるものなんでしょう？」

僕は声をひそめる。美奈子の話では、その鍼灸師は治療を受ける人々からかなりの大金を巻き上げているらしい。その男が詐欺師《さぎし》だとしたら（まあ、間違いなく詐欺師だとは思うが）、被害者たちがどれくらいの金額を払っているのか知っておく必要があった。

「一回の治療につき三万円ですよ」

松子は軽い口調で答えた。

「三万円……ですか」

微妙な数字に僕は鼻の頭を掻く。かなり高額だが、法外とまではいえない。

「最初の一ヶ月、週三回通ったとすると、三十から四十万円かかることになりますね。そのあとは月に六万円……」

これはなかなかうまい料金設定なのかもしれない。それなりに裕福な者には、払えなくはない金額だ。一気に何百万も巻き上げるより、こうやって定期的にある程度の金額を払わせた方がトラブルになりにくいだろう。

「たしかに少し高く感じるかもしれませんけれど、それで若さを取り戻すことができるなら安いものでしょ」

松子の口調には迷いがなかった。

「お前も毎月六万円払っているのか?」

腕を組んで話を聞いていた鷹央が、松子に質問をぶつける。高校生のように見える鷹央に「お前」と呼ばれ、少々目を見張った松子だったが、すぐにはにかんで首を左右に振った。

「いえ、最近は払っていませんよ。なんというか、私は秋源先生のパートナーといいますか……」

「つまり、その鍼灸師の恋人になったから、治療代は払っていないということだな」

言い淀《よど》む松子に向かって、鷹央は直球をぶつける。松子は白い頰をかすかに赤く染めると、隣に座る美奈子を軽く睨んだ。

「あらやだ、あなた、そんなことまで話したの？」

女学生のように初々《ういうい》しい態度を見せる母に顔をしかめつつ、美奈子は小さく頷いた。

「本当に口が軽いんだから。ええ、たしかに私は秋源先生とお付き合いしています。けれど、べつにそれは若返らせてくれたからじゃなく、彼の人柄に惹《ひ》かれたからで……」

松子の頰の赤色がじわじわと濃くなっていく。

やっぱりこの人、その鍼灸師と付き合ったから若返ったんじゃないのか？　松子の様子を眺めながら、僕はそんなことを思う。

昨日、鷹央が語った、「恋をすると女性ホルモンが増える」という話にも繫《つな》がるが、精神は肉体に多大な影響を与える。

夫を失い、大きな洋館で一人寂しく老後を送り、年齢以上に老け込んでいた松子が、恋をすることで活気を取り戻した。それに加えて化粧など、美容に気をつかうようになったことで劇的に若返ったように見えた。そういうことなのではないか？

「けれど、実は私、嬉しいんですよ」

考え込んでいた僕は、松子の声で我に返る。渋い顔で隣に座っている美奈子の肩に、松子が手を置いた。

「最初、秋源先生とお付き合いしていることを話したらこの子、大反対してきたんですよ。何度も彼が本物だってことを教えているんですけど、なかなか聞く耳を持たなくて。それなのに、秋源先生の治療に興味のある人を連れてきてくれるなんて。あなたも、ようやく彼の力を信じてくれるようになったのね」

松子は目を細めて娘を見る。美奈子は居心地悪そうに、「そういうわけじゃ……」と言葉を濁した。

「ところで、その『若返り治療』の見学とかはできないのか？　ぜひこの目で見てみたいんだが」

好奇心で目をきらきらと輝かせながら、鷹央が前のめりになる。とたんに松子は困り顔になった。

「見学ですか？　それはちょっと訊いてみないと……」

「ぜひ訊いてみてくれ」

「……はあ。それじゃあ、ちょっと待っていてくださいね」

鷹央の勢いに圧倒されるように軽くのけぞった松子は、席を立つと部屋から出て行った。

ここで話を聞いて終わりだと思っていたのに、下手をしたらその怪しげな治療の見学まで付き合わされるのか。肩を落とす僕の顔を、鷹央が覗《のぞ》き込んでくる。

「……なんですか？」

「本当ならすごいよな！　本当に若返ることができたなら、不老不死だって夢じゃないかもしれないぞ。古代から、不老不死は人々の悲願だったんだよ。時の権力者の多くが、その力を使って不老不死の秘薬を求めたんだ。有名なのは秦《しん》の始皇帝だよな。水銀を飲むことで……」

「はいはい、もし本当ならすごいですね」

テンションが上がってきたのか、『不老不死』についての知識を垂れ流し始めた鷹央に、僕は適当な相づちをうつ。とたんに鷹央は頬を膨らませた。

「なんだよ、お前。興味ないのかよ。若返りだぞ！」

「そんなに興味はありませんねえ。医者は若く見られると、患者に信頼されない傾向にありますから。どちらかというと、もう少し年上に見られたいぐらいですよ」

僕が答えると、鷹央は大きく舌打ちをする。

「そんなことを言っているとな……ハゲるぞ」

ぼそりとつぶやいた鷹央の一言に、僕は顔を引きつらせて頭に手をやる。

「な、なにを……」

「だから、年上に見られたいとか余裕こいているとな、あと何年もしないうちにハゲるって言っているんだよ」

「ぼ、僕は大丈夫ですよ。そんな徴候はまだ少しも……」

「ああいうのは一気に来るもんなんだよ」

鷹央は唇の端をつり上げた。

「どうせ、外科医だったころストレスの多い不規則な生活していたんだろ。それにお前、結構食生活も偏《かたよ》っているしな。きっと毛根にはかなりのダメージが蓄積を……」

鷹央は怪談を語るような口調で脅してくる。

「食生活で先生に言われたくはありませんね。カレーと菓子しか食べない超偏食のくせに」

「なに言っているんだ。私はちゃんとカレーの具を毎日替えて、それなりにバランスを……」

僕と鷹央が睨み合っていると、扉の開く音が響いた。見ると、松子が部屋に戻ってきていた。僕たちはとりあえずケンカをやめ、居ずまいを正す。

「秋源先生と連絡が取れました。三十分後に私が紹介した患者さんの治療が入っているから、それを見学してもいいってことです」

松子は両手を合わせて明るく言った。

神尾秋源という男の鍼灸院は、松子の住む家から徒歩で五分ほどの距離にあった。小さな二階建ての民家の軒先に、看板が置かれている。

『神尾鍼灸院』と記されているその看板は年季が入っていて、かなり怪しい雰囲気を醸し出していた。

「ここで『若返り治療』をやっているのか」

鷹央は看板をまじまじと眺める。

「ええ、あまりきれいなところじゃないでしょ。もっといいテナントを借りて、大々的にやった方がいいって言っているのに、あの人、『目立つのは嫌いだから』って聞かないんですよ。職人気質《かたぎ》って言うんですかね。まあ、そういう所が良いんですけど」

松子はのろけながら、玄関先のインターホンを押す。数十秒すると扉が開き、甚平《じんべい》を着込んだ初老の男が姿を現した。

「やあ松子さん、いらっしゃい。その人たちが私の治療を見学したいんだね」

大仰に両手を広げる男を、僕は観察する。

胡散臭い。それが神尾秋源に対する第一印象だった。

まず、甚平姿で仕事をしていること自体が芝居じみて見える。頭頂部はきれいに禿《は》げ上がり、蛍光灯の光を反射していた。後頭部に生えている白髪が目立つ髪はゴムで結われて、ポニーテールになっている。かなり小柄だが、鍼灸師らしく筋肉質な体つきをしていた。年齢は六十前後というところだろうか?

「胡散臭いでしょ、この人」

僕の思っていることを松子が的確に言い当てる。僕は慌てて「いえ、そんな……」と言葉を濁した。

「いいんですよ、気を遣わなくても。私もはじめてここに来たとき、『この人、大丈夫かしら』って不安になったんだから」

「なんだ、最初はそんなふうに思われていたのか」

「ええ、最初は逃げだそうかと思ったのよ」

松子と秋源は、視線を合わせて微笑み合う。その様子は、長年連れ添った夫婦のようだった。僕の隣に立つ美奈子の顔が不機嫌そうに歪む。

「えっと、僕は小鳥遊《たかなし》優《ゆう》と言います。こちらは天久《あめく》鷹央先……さんです」

僕が自分と鷹央の紹介をすると、秋源は一瞬笑みを引っ込めて視線を向けてくる。値踏みされているような気がして居心地が悪かった。

「お二人の知り合いの方が、あなたの治療を受けたいとおっしゃっているんですって。それで、具体的にどんなことをするのか見学したいそうよ」

「ああ、そうなのか。どうぞどうぞ。見学は大歓迎だ、いつ来てもらってもかまわないよ。まだ患者さんは来ていないけれど、とりあえず上がって」

秋源は再び笑顔を浮かべると、玄関扉を大きく開けた。

「あの……私は母の家に戻っています」

美奈子は厳しい表情を浮かべたまま、低い声で言う。

「あら美奈子、あなたも一度、中を見ていきなさいよ」

松子が軽い声で娘を誘うが、美奈子は力なく顔を左右に振ると、僕たちに小さな声で「……すみません」と言って身を翻《ひるがえ》した。

まあ、母親をたぶらかしている（と美奈子は確信している）怪しい男の鍼灸院など、入りたくないのだろう。

「おい小鳥、なにぼーっとしているんだ。行くぞ」

遠ざかって行く美奈子の背中を見送っていると、ジャケットの袖《そで》を引かれた。見ると、鷹央が好奇心に目を輝かせながら玄関を指さしていた。依頼主がいなくなったというのに、調査は続けないといけないらしい。僕は肩を落とすと、鷹央とともに鍼灸院へと入っていった。

玄関を入ると、普通の民家のように長い廊下が延びていた。廊下の突き当たりには台所らしき空間が見える。

「こちらだよ」

秋源は玄関を上がってすぐのところにある引き戸を開く。扉の奥には十二畳ほどのスペースが広がり、その中心に施術《せじゅつ》用のベッドが置かれていた。僕たちは、秋源に促されるままに室内へと入っていく。

部屋には壁に沿って本棚が設置されていて、中には東洋医学の専門書らしき書物が詰まっていた。ベッドの脇《わき》にはカートが置かれ、鍼《はり》や灸の道具が載っている。

「鍼灸師の資格を持っているんだな」

鷹央が壁に掛けられた額を指さす。その中には、鍼灸師の免許状が入っていた。

「もちろんだよ。そうじゃなきゃ鍼灸院なんて開けない」

秋源は少々苛立《いらだ》たしげに言った。

「けれど、『若返り治療』は鍼灸の学校で習うようなものじゃないだろ」

鷹央の指摘に、秋源の顔がかすかに引きつった気がした。

「たしかに、あの治療は普通の鍼灸師にできるようなものじゃない。あれは日本で教えられている鍼灸とはまったく別の技術なんだ」

「お前はどうやってその技術を学んだんだ?」

矢継ぎ早の質問を受け、秋源はいぶかしげに目を細める。

「なんでそんなことまで言わないといけないんだ？」

「なんでって、そりゃあ『若返り』だぞ。そんな治療、西洋医学でも夢のまた夢だ。それができるとなれば、どこでどうやって技術を学んだか知りたいと思うのは当然だろ」

鷹央は早口で言う。正論をぶつけられ、秋源は気を取り直すように軽く咳払《せきばら》いをした。

「鍼灸師の資格を取ったあと、私は本場の技術を学びに数年間、中国に留学をしたんだ。そして、北京《ペキン》で師に巡り会った」

「その『師』って奴にならったのか？」

「ああ、そうだよ。彼はその時すでに八十歳を超えていたが、素晴らしい腕で尊敬を集めていた。私は必死に頼み込んで弟子入りをして、数年間鍼灸だけでなく、東洋医学の様々な技術を学んだ。そして私が日本へ帰ることになったとき、師は長い間尽くしてきた私に秘伝の技術を教えてくれたんだ。『気』を操ることにより、細胞を活性化させる技術をね」

秋源は得意げに言う。

「その『気』っていうのは具体的にはどういうものなんだ？　どうやったらそれを使

えるようになるんだ？」

好奇心による興奮を抑えきれなくなった鷹央は、秋源に詰め寄るように近づいていく。目の前までやってきた鷹央を見下ろしながら、秋源は小馬鹿にするように鼻を鳴らした。

「具体的にと言っても、言葉にできるようなものじゃないな。まあ、しいて言えば、すべての細胞が持つ生命のエネルギーだ。まずは厳しい修行をすることによって体の中を流れている『気』の流れを感じることができるようにして、そこから時間をかけて、自在に操れるようになるんだ。私のように才能のある者でも、そこまで数年かかるし、才能がなければいくら努力しても使えるようにはならない」

「なるほど、興味深いな」

鷹央は腕を組むと、満足げにうなずいた。

なにが『気』だよ。二人のやりとりを眺めながら僕はあきれかえっていた。詐欺師が適当なことをいって煙に巻こうとしているだけだ。話を聞けば聞くほど、神尾秋源という男に対する疑念が濃くなっていった。

「それで、その『治療』にはどれくらいの効果があるんだ？」

鷹央は腕を組んだまま、さらに質問を重ねる。

「秋源さん、あれを見せてあげましょうよ」

松子がはしゃいだ声を出すと、本棚から大きなファイルを取り出した。

「それはなんですか？」

僕が訊ねると、松子はベッドの上でファイルを広げた。

「これまでに秋源さんの治療を受けた人たちの写真。治療を受ける前とあとで見比べられるように、保管しているの」

ファイルには一ページに数枚の写真が貼《は》られていた。松子の言うとおり、同一人物の写真を、時系列に並べたもののようだ。

こんなものを第三者に見せるなんて、プライバシーの問題があるんじゃないか。秋源に対する不信感を強くする僕の前で、鷹央がかぶりつくようにファイルを眺めはじめる。しかたなく、僕も写真に視線を落とした。

最初の写真に写っていたのはかなり高齢の女性だった。八十歳は超えているだろう。写真の脇には日付が記されている。どうやら一週間ごとに撮影したらしい。

順番に写真を見ていった僕は息を呑んだ。写真が進むにつれ、明らかにその女性は『若返って』いた。治療開始から一週間後の日付の写真で、すでに肌に張りが出てきていて、一ヶ月後以降の写真では十歳以上は若くなっているように見える。

鷹央は無造作にファイルのページをめくる。次のページには違う女性の写真が貼られていた。どうやら見開きで一人分が貼られているようだ。

ようにそのページに写っていた高齢の女性も、治療を受けた結果、明らかに若返っている見えた。鷹央は次々にページをめくっていく。どのページの女性も、治療の前後で同様の変化が見てとれた。

僕は軽い頭痛をおぼえ頭を振る。てっきり松子は、秋源と交際をはじめたために生活に張りが生まれ、外見が若く見えるようになっただけだと思っていた。しかし、このファイルに収められている写真が本物だとしたら、松子以外にも多くの高齢女性が秋源の『治療』によって若返っている。

この男はどうやってこんなことを……？　僕は顔を上げ、呆然《ぼうぜん》と秋源を眺める。

「かなりの人数がいるな。いままで何人にその『若返り治療』をやったんだ？」

「そうだな、四十人ぐらいかな。その大部分が、いまも定期的に私の治療を受けに来ているよ」

鷹央の質問に、秋源は誇らしげに答える。

「へえ、思ったより少ないんだな。てっきり何百人もやっているものだと思っていたよ」

「この治療を始めたのは、三ヶ月ぐらい前からだからね。まだそんなに人数はいないんだ」

「それまではやっていなかったのか？」

「ああ、普通の鍼灸治療しかしていなかったよ。『気』を使うのは普通の治療ではないからね。それで商売をしようとは思いつかなかったんだ。松子にやったのも、年齢からくる症状で悩んでいたから、それを少し和らげようとしただけなんだ。まさかこまで喜ばれるとはね」

鼻の頭を掻く秋源に、松子が近づいた。

「この人、腕はすごく良いのに、商売下手なのよ。だから私がプロデュースしてあげたの。友達に宣伝してあげてね」

秋源は相好《そうごう》を崩す。

「松子には感謝しているんだよ。松子のおかげで、私の本当の実力を思う存分発揮することができるようになったんだ」

高齢の二人が高校生のカップルのように寄り添うのを前にして、どうしても眉根《まゆね》が寄ってしまう。その時、インターホンの音が響いた。

「お、ちょうど患者さんが来たみたいだな。松子、悪いけど迎えに行ってくれないか」

「はいはい」

松子は軽い足取りで部屋から出て行くと、すぐに中年の女性を連れて戻ってきた。年齢は五十代後半というところだろうか。

「あら、その方たちは？」

松子とともに部屋に入ってきた女性は、まばたきをくり返す。

「こちらは小鳥遊さんと天久さん。お知り合いの方が秋源先生の治療に興味を持っておられて、今日は見学にいらっしゃったの。かまわないでしょ、春江《はるえ》さん？」

「え、ええ……」

春江と呼ばれた女性がためらいがちに頷くと、鷹央がずいっと彼女に近づいていった。

「『若返り治療』を受けているんだな。効果はどうだ？」

「え、えっと。あの……効果はすごいわよ。まだ受けはじめて三週間だけど、肌の張りが全然違ってきて、若く見られるようになったし、ひどかった更年期障害もよくなったから。今年で七十三歳になるから、諦めていたのに」

突然迫ってきた鷹央に戸惑うようなそぶりを見せつつ、春江は答える。七十三？五十代にしか見えないのに、僕は目を見張った。

「……なるほど、更年期障害がな」

鷹央はなにやら含みのある口調でつぶやくと、重々しく頷いた。

「それじゃあ、いつもみたいに奥の部屋で着替えてきてください」

秋源に促され部屋から出て行った春江は、数分で水色のガウンに着替えて戻ってきた。鍼灸を施せるよう背中側に大きなファスナーがついていて、開けるようになっている。

春江はすたすたとベッドに近づき、腹ばいに横たわった。

「あの、僕は出ていましょうか」

僕はおずおずと言う。部外者で、しかも男である僕に施術を見られることには抵抗があるかもしれない。

「ああ、気にしなくていいですよ。そんな歳《とし》じゃありませんからね」

春江は僕に向かって笑みを浮かべた。

「さて、じゃあはじめようか」

秋源はカートに置かれていた医療用のゴム手袋をはめて春江に近づくと、腕のマッサージをはじめた。

「……それが『若返り治療』なんですか？」

僕の質問に、力を込めてマッサージを続けながら秋源は首を左右に振った。

「これは治療前の下準備だ。筋肉にこわばりがあると、うまく『気』が全身に伝わらなくて、効果が半減するからな」

秋源は滑りをよくするためか、手にローションを何度かつけながら、腕のマッサージを続けていく。

十分ほどかけて両腕のマッサージを終えると、秋源は背中のファスナーを下げ、春江の背中にもマッサージを施していく。

あまり凝視するのは失礼だと思った僕は視線を外し、横目でその様子をうかがう。そんな僕とは対照的に、鷹央は背後霊のように、秋源のすぐ後ろにかぶりついて施術を凝視していた。鷹央が気になるのか、秋源は何度か渋い表情で振り返るが、鷹央が動くことはなかった。

腕と同じように、秋源は背中にもローションを使いながら入念にマッサージを続けていく。

合計三十分近く使って腕と背中のマッサージを終えた秋源は、外した手袋をゴミ箱に捨て、大きく息をついた。背中のファスナーを閉めてもらった春江が身を起こし、ベッドの端に腰掛ける。

「これで準備は整った。これからが本番だ。ちょっと離れていてくれるかな。『気』を扱うのに集中が必要だから」

秋源は春江の前に立つ。鷹央は不満げな表情で僕の隣に戻ってきた。

春江の手を取った秋源は、目を閉じてゆっくりと深呼吸をくり返しはじめた。

これからいったいなにがはじまるのだろう？　僕は目の前で繰り広げられる光景に集中する。隣に立つ鷹央も前のめりになりながら、無言で観察を続ける。

「はぁっ!」

息を吐くと同時に、秋源は目を見開き歯を食いしばった。その息づかいが荒くなっていく。

額に汗を滲《にじ》ませ、顔を紅潮させながら、秋源は腕を細かく震わせはじめる。次第にその振動は大きなものになり、秋源の食いしばった歯の隙間からうめき声が漏れだした。

次の瞬間、春江の手を離した秋源は崩れ落ちるようにその場に座り込むと、酸素をむさぼりはじめた。

「……えっ? これで終わりですか?」僕はためらいつつ口を開く。

「はい、これで終わりですよ」

まだ苦しげに息を乱している秋源にかわり、松子が答えた。

いまのが『若返り治療』? 正直、なにが起こっているのかまったく分からなかった。

「あの、……なにか変化はありました?」

秋源はまだ答えられそうになかったので、僕は質問の矛先を春江に向ける。

「なにか温かい波動が伝わってきた気はしましたけど、すぐに効果が出るわけではないんですよ。何日もかけてゆっくりと体が若返っていくんです」

笑顔で言う春江を前にして、どうにも拍子抜けした気持ちになる。治療中に見る見る患者が若返っていくような光景を予想していた。まあ、よく考えたら、そんなことあるわけないのだが……。

「……すぐには効果は出ないが、春江さんの全身には、私が送った『気』が充満、している。その『気』が、ゆっくりと、細胞を活性化させて、いくんだ」

秋源は息を乱したまま、途切れ途切れに説明する。

「そんなに消耗するものなんですか？」

「当然じゃないか。『気』とは生命のエネルギーそのものだ。それを他人に流し込むんだから、体力は消耗する。まあ、少し休めば回復するがね」

秋源は松子の肩を借りて立ち上がった。そんな二人に僕は疑いの視線を向ける。秋源の言動はいちいち芝居じみていて、どうにも信じる気になれなかった。

詐欺師が三文芝居をしているだけに見える。けれど、この治療を受けた人たちは実際に若返っている。これはどういうことなんだろう？

混乱した僕が隣を見ると、鷹央はポケットティッシュを取り出し、大きな音をたてて鼻をかんでいた。

「……なにやっているんですか？」

「なにって、見れば分かるだろ。鼻をかんでいるんだ。この部屋、ちょっと埃《ほこり》っぽくないか」

　鷹央は鼻をかんだティッシュをゴミ箱に捨てると、両手をコートのポケットに突っ込む。

　さっきまであれだけ興味津々《しんしん》だったというのに、この変わりよう。相変わらずつかみ所のない人だ。

「それで、治療を見てどう思いました？　なにか分かったこととかありませんでしたか？」

　僕は秋源たちに聞こえないように、鷹央に耳打ちする。

「ん、治療？　ああ、『若返り治療』か。うん、まあ色々とわかったかな」

　鷹央はまるでいま思い出したかのようにつぶやくと、秋源を見る。

「なあ、次は私にやってくれないか？」

「鷹央先生、なに言っているんですか⁉」

　慌てた僕は思わず『先生』をつけて鷹央を呼んでしまう。松子が小首をかしげながら「先生？」とつぶやいた。

「どうしたんだよ、そんなに焦って。べつに危険もないみたいだし、いいじゃないか。見るだけより、直接体験した方が分かることも多いだろうしな」

「いや、だからってわざわざ受けなくても……」

危険がないとは言い切れないじゃないか。

「それに、若返ることができるなら私も嬉しいしな」

「そんな必要ないでしょ。もともと……」

もともと、子供みたいな外見しているんだから。そう口にしかけたところで、僕は慌てて言葉を飲み込む。鷹央は童顔を指摘されるととんでもなく不機嫌になる。あまり外見を気にしない鷹央だが、年齢よりかなり幼く見られることにはコンプレックスを持っているようなのだ。

「……もともと、なんだよ?」

鷹央が低い声で言う。

「いえ、えっとですね……、もともと綺麗なんですから、そんな治療受けなくても大丈夫ですって」

自分でも呆《あき》れてしまうほど棒読みで僕がお世辞を口にすると、鷹央は目をしばたたかせた。

「なんだ、お前。私を口説いているのか?」

「ちがう!」

「けれど、私はお前みたいなむさ苦しい男に興味ないぞ。悪いけどな」

「だから違うって言っているでしょ!」

「分かった分かった。そういうことにしておいてやる。それで、私にもその治療をやってくれるのか?」

鷹央はひらひらと手を振ると、秋源に向き直った。

いや、「そういうことにしておいてやる」って……。

「いやあ、お嬢ちゃんにはちょっと必要ないんじゃないかな」

秋源は禿げ上がった頭に触れながら言う。「お嬢ちゃん」と呼ばれたことで、鷹央の目つきが険しくなった。

「……なんで私はだめなんだよ」

「だってお嬢ちゃん、中学生だろ? まだ十分若いから、若返る必要なんてないよ」

「ちゅ、中学……!?」

もともと大きい目を剝いて、鷹央は絶句する。一瞬吹き出してしまった僕は、慌てて両手で口を押さえた。

鷹央は殺気すらはらんだ視線で僕を睨《にら》みつけると、そのままの目つきで秋源を見る。

「だ、誰が中学生だ! 私は、私はれっきとした二十八歳のレディで、天医会総合病院のドク……」

鷹央がそこまで叫んだところで、僕は慌てて背後から鷹央の口を手で押さえた。掌の下で鷹央がなにかもごもごと口を動かしている。

「今日はありがとうございました。またあらためて連絡します。それじゃあ失礼します！」

僕は早口で言うと鷹央の体を小脇に抱え、急いで部屋から出て玄関へと向かう。これ以上鷹央をここに置いておいたら、絶対にめちゃくちゃになる。とりあえず見るべきものは見たし、このまま病院に戻るとしよう。じたばたと四肢を動かす鷹央を抱えたまま鍼灸院を出たところで、左手から脳天まで電撃のような痛みが突き抜けた。声にならない悲鳴を上げながら、僕は視線を落とす。そこでは、鷹央が僕の手に鋭い犬歯を突き立てていたのだった。

3

『若返り治療』を見学してから二週間ほど経《た》った金曜の夕方、救急部の勤務を終えた僕は、救急治療室を出て一階フロアを歩いていた。すでに外来は終わっている時間なので、ベンチが並ぶ外来待合は閑散としていた。警備員や見舞いに訪れた人がぱらぱらといるぐらいだ。

首を鳴らしながら待合を横切り、エレベーターの前に立つ。ちょうど下りてきたエレベーターの扉が開き、中から眼鏡をかけた長身の女性が出てくる。年齢は僕と同じくらいで、ロングヘアーを明るい茶色に染めている。

僕と女性の目が合う。眼鏡の奥の切れ長の目がわずかに大きくなり、その体が一瞬硬直した。

知り合いだろうか？　僕は記憶を探る。一瞬、頭の奥に疼《うず》きをおぼえるが、はっきりとどこで会ったのか思い出せなかった。

女性は気を取り直したように微笑むと、小さく会釈をする。思わず頭を下げ返した僕の脇をすり抜けると、女性は振り返ることなくヒールを鳴らして出口へと向かっていった。

首を捻りつつスタイルのいい後姿を見送った僕は、エレベーターに乗り込む。

十階に到着し、屋上への階段を上りはじめたとき、電子音が鼓膜を揺らした。

「なんだよ、もう勤務時間は終わったのに」

愚痴をこぼしながら、救急部ユニフォームのポケットから院内携帯を取り出す。小さな液晶画面には、見慣れた内線番号が表示されていた。統括診断部の医局、つまりは鷹央の〝家〟からの呼び出しだ。

一瞬、気づかなかったふりをして帰ってしまおうかとも思うが、僕のデスクがあるプレハブ小屋は、鷹央の〝家〟の裏手にある。着替えと車のキーを取りにそこに向かえば、間違いなく〝家〟にいる鷹央に見つかるだろう。

……しかたがないか。

僕は重いため息をつきつつ階段を上って屋上に出ると、まっすぐにレンガ造りのファンシーな建物へと向かった。

「小鳥、明日車を出せ」

玄関扉を開けてありとあらゆる種類の書物が所狭しと積み上げられ、〝本の森〟といった様相を呈している薄暗い室内に入った瞬間、ソファーに横たわっていた鷹央が声を上げた。

「またですか？　僕は先生の専属運転手じゃないんですけど」

「いいじゃないかよ。どうせ週末ひまだろ。恋人もいないんだから」

「ほっといてくださいよ！　今度はどこに行くつもりなんですか？」

たしかに独り身だし、明日はこれといった予定は入っていないのも事実だが、他人に指摘されたくはない。

「あの『若返り治療』をやっている鍼灸院だ」

「神尾秋源の鍼灸院ですか？　もしかして、まだ調べていたんですか？」

神尾鍼灸院から戻って以来、鷹央はほとんど『若返り治療』について言及することがなかったので、てっきり興味を失っているものだと思っていた。

「当たり前だろ。準備が整うのを待っていただけだ」

「準備？　なんの準備ですか？」

「あの鍼灸師のトリックを暴《あば》く準備に決まっているだろ」

　鷹央は唇の片端をにやりと上げる。

「トリック？　やっぱりあれは『気』とかじゃなく、なにか仕掛けがあったんですか？」

「なんだ、お前まだ気づいていないのか。相変わらず節穴みたいな目だな。私は二週間前の時点でトリックが分かっていたぞ」

「え？　それじゃあ、その時に指摘すればよかったじゃないですか」

「あの時点ではまだ証拠がなかったからな。あの男を逮捕するためには、しっかりした証拠をそろえる必要があったんだよ」

「逮捕⁉」思わず声が跳ね上がる。

「なんだよ、変な声だして」

「いや、逮捕って……。あの鍼灸師、なにか犯罪行為を？」

「ああ、あいつがやっているのはれっきとした犯罪だ」

　鷹央はきっぱりと言い切る。

「それって、詐欺ってことですか？」

「いや、詐欺罪じゃない。まあ、明日になれば分かるさ。昼過ぎに迎えに来てくれ。頼むぞ」

鷹央は〝本の樹《き》〟から一冊文庫本を手に取り、読みはじめる。やはりこの場で詳しく説明はしてくれないらしい。

「それじゃあ、松子さんはあの男に騙されているんですね」

幸せそうに秋源に寄り添う松子を思い出し、暗い気持ちになる。彼女は心から秋源のことを信頼し、愛している。もし騙されていると知れば、かなりのショックを受けるはずだ。

「なんだ、お前、南原松子に同情しているのか?」

「そりゃあ、あれだけあの鍼灸師に入れ込んでいるんですから、ちょっとかわいそうだなと思って……」

「ん? そんなにあの女のことを心配するってことは、もしかしてお前、あの南原松子に惚《ほ》れたりしているのか?」

「はぁ!?」

あまりにも突拍子もない発言に、僕は言葉を失う。文庫本を脇に置いた鷹央は、憐《れん》憫《びん》がこもった視線を投げかけてきた。

「お前なぁ、南原松子はたしかに若く見えるし、かなり顔立ちは整ってはいるが、実際は七十二歳だぞ。いくら若い女にモテないからって……」

「違う！　断じて違います！」

「だいたいなぁ、最近お前、節操なさ過ぎじゃないか？　この前は私を口説いたり」

「そんなことしてない！　僕はちゃんと節操を持って生きています！」

　人聞きの悪いことを口にし続ける鷹央に、僕は声を嗄《か》らしながら反論をする。

「節操持って生きている？　本当か？」

　鷹央はいやらしい笑みを浮かべた。

「……どういう意味ですか？」

「この病院に来てから、何人のナースや薬剤師にふられた？　けっこうな数になるんじゃないか？　まったく、やたらめったら声をかけやがって」

「うっ……」

　痛いところを突かれ、僕は言葉を詰まらせる。たしかにこの数ヶ月、この病院に勤務する数人の女性と少しいい雰囲気になっては、結局うまくいかないということをくり返していた。

　けれど、それは某研修医に、僕と鷹央が交際しているとかいう根も葉もない噂を流されたり、鷹央の『捜査』に強引に付き合わされてデートの時間がとれなかったせいで……。

「そもそも、この病院に赴任してきてすぐにお前、姉ちゃんを口説こうとしたもんな。

「姉ちゃんはもう結婚しているっていうのに」

必死に反論を口にしようとした僕に、鷹央がとどめを刺しに来た。その時のことを思い出し、僕は頭を抱える。

違うんだ。あれは鷹央が「姉ちゃんに恋人はいないぞ」とか言うから……。まさか恋人じゃなく、夫がいるなんて……。

「あの、……もうこの話はやめにしましょう。ちゃんと明日、迎えに来ますから」

僕は白旗を揚げる。これ以上この話題を続けたら、精神に致命的なダメージを受けてしまいそうだ。

「ん、そうか。それじゃあ明日は頼むぞ。あの失礼な男に一泡吹かせてやるんだから」

「失礼な男？　それって神尾秋源のことですか？」

「そうに決まっているだろ。もう忘れたのか。あの男、私のことを『中学生』呼ばわりしたんだぞ！」

鷹央は拳《こぶし》を握りながら声を張る。

「忘れるわけがありませんよ。そのせいで僕は手に怪我《けが》したんですから。まったく、あんな容赦なく嚙みつかなくても」

　僕は左手を掲げる。そこには鷹央に嚙みつかれた痕《あと》が、まだ完全に治りきらずに残っていた。

「お前が悪いんだろ。毎度毎度、私を荷物みたいに抱えやがって。今度やったらセクハラで訴えてやるからな。ああ、それもこれも全部、あの鍼灸師が私を子供扱いしたせいだ。どこからどう見たら私が中学生に見えるんだ」

「どこからどう見ても……」

「あ？　なんか言ったか？」

　僕が口の中でぼそりと言葉を転がすと、鷹央が鋭い視線を向けてきた。

「いえ、なんでもないです」

　僕は慌てて胸の前で両手を振る。鷹央は苛立たしげに鼻を鳴らした。

「なにが中学生だ。私はれっきとしたレディなんだ。その私が『若返り』たがっても、べつに不思議じゃないだろ。それなのにあいつ……」

　鷹央はぶつぶつとつぶやき続ける。よほど『中学生』と言われたことを根に持っているようだ。ここは少しフォローしておくか。

「そうですよ、きっと神尾秋源の目がおかしいんですよ。たしかに若くは見えますけど、なんだかんだ言って、先生もアラサーですか……、うおっ⁉」

突然、顔面に向けて飛んできた文庫本を、僕はヘッドスリップでかろうじて避《よ》ける。

「な、なにをするんですか、って、ちょっと待って……」

続けざまに僕に向かって本を投げつけてくる鷹央に、僕は必死で言う。

「……お前、いまなんて言った？」

両手に本を持ったまま、鷹央は地獄の底から響いてくるような声で言った。

「え？　え？　なんのことですか？」

僕は顔の前で両手を交差させる。なにか怒らすようなことを口にしただろうか？

「誰がアラサーだって⁉」

叫ぶと同時に鷹央は再び本を投げつけてくる。

「え？　だって先生、二十八歳じゃ……。四捨五入したら」

「四捨五入するな！　切り捨てろ！　切り捨てたら私は二十歳だ、それを言うにことかいてアラサーだと⁉」

いつもは子供扱いされて怒っているくせに、若く見られたいのか？　わけが分からない。

「そ、それじゃあ僕は失礼します！　また明日！」

鷹央が数キロはありそうな辞典を両手で掲げて立ち上がったのを見て、僕は慌てて玄関扉を開けて外に出る。

急いで閉じた扉に、重いものが衝突する音が響いた。

RX-8をコインパーキングに滑り込ませると、僕は助手席で花林糖を囓《かじ》っている鷹央に声をかける。鷹央は無言のまま助手席の扉を開けて外へと出た。どうやら、まだ機嫌はなおっていないらしい。僕は深いため息をつく。

「……着きましたよ」

翌日の土曜日の昼下がり、言われたとおり僕は鷹央を迎えに行き、神尾鍼灸院の近くまで連れてきていた。病院からここに着くまでの間、僕が必死に話しかけても鷹央は一言も喋らなかった。

機嫌を取るために、病院に行く前にコンビニで花林糖を買って、それを渡したのだが、それだけでは不十分だったようだ。甘味さえ口に放り込んでおけば機嫌がなおると思っていたが、よほど『アラサー』と言われたことに腹を立てているらしい。

しかたがない、こうなれば最終手段を使うか。車の鍵《かぎ》をかけた僕は、一人で歩きはじめている鷹央を小走りで追った。

「このまま神尾鍼灸院に行くんですか？」

おそるおそる話しかけるが、鷹央は僕の声が聞こえていないかのように無視を決め込む。

「えっとですね、いま一時過ぎだから、終わって帰る頃にはおやつの時間ぐらいになるかもしれませんね」

少々ひるみつつも、僕は言葉を重ねていく。やはり鷹央は反応しなかった。

「もし良かったら、帰りに『アフタヌーン』でも寄って、お茶していきませんか?」

『アフタヌーン』は天医会総合病院から車で十分ぐらいのところにある、個人経営の喫茶店だった。そこの自家製のケーキが鷹央の大好物で、時々僕はお使いに行かされたりしている。

『アフタヌーン』の名前を出した瞬間、鷹央の体がぴくりと震えた。僕はここぞとばかりに追い打ちをかけていく。

「この前給料日だったから、ケーキ奢《おご》りますよ。あそこのケーキ美味しいですよね。クリームがなんというか、上品な味というか」

鷹央は足を止め、横目で僕を上目遣いに見る。

「……何個だ?」

「はい?」

「『アフタヌーン』のケーキのことだ。いくつまで奢ってくれるんだ」

「何個でもいいですよ。好きなだけ食べて下さい」

僕が言うと、鷹央の無表情だった顔に無邪気な笑みが浮かんでくる。

「よしっ、それならさっさとこの事件を終わらせて、ケーキ食いに行くぞ」

とたんに上機嫌になった鷹央は、軽い足取りでまた歩きはじめる。僕は安堵《あんど》の息を吐きながら鷹央のあとを追った。

路地を曲がると、神尾鍼灸院の前に体格のよい、見慣れた男が立っていた。

「成瀬《なるせ》さん？」

僕は目をしばたたかせながら、田無《たなし》署の刑事課に勤める、顔見知りの刑事の名を呼ぶ。成瀬はいつもどおりの仏頂面《ぶっちょうづら》で、かすかに会釈をしてきた。

成瀬隆哉《りゅうや》のうしろにも数人の男たちが立っていた。全員がスーツを着込んでいるが、その全身から醸し出している堅気とは思えない尖った雰囲気は、彼らがサラリーマンではないことを如実に物語っていた。おそらくは刑事なのだろう。

「おう、待たせたな」

鷹央は片手を上げながら成瀬に近づいていく。

「鷹央先生が呼んだんですか？」

状況がよく分からない。

「ああ、そうだ。神尾秋源の犯罪の証拠を摑《つか》むためには、警察に介入してもらった方が確実だからな」

鷹央は楽しげに言う。なにやら大事《おおごと》になってきた。いったいあの男はなにをやったというのだろう？

「それで、令状は取れたんだろうな？」

「ええ、言われた通り、しっかり取ってきましたよ」

鷹央の質問に、成瀬はいつも以上に陰鬱《いんうつ》な口調で答える。鷹央にいいように使われていることが気にくわないのだろう。しかし、令状とは？

「令状ってなんのことですか？」

「家宅捜索令状だよ。それを成瀬に頼んで取ってもらっていたんだ。こいつを説得したり、証拠を集めたりって結構面倒だったんで、二週間もかかっちまったよ」

鷹央は成瀬の腕をばんばんと無造作に叩《たた》く。

「たしかに、ここで犯罪が行われているって情報を持ってきてくれたのは天久先生ですけれど、裏付けの捜査をしたのは私たちですよ」

成瀬は渋い表情を浮かべる。

「分かっているって。まあ、お前たち頭はいまいちだけど、そういう人海戦術にかけてはプロだからな。その点については評価しているんだぞ」

鷹央は褒めているというより、馬鹿にしているとしか思えないセリフを吐く。案の定、成瀬をはじめとした男たちの表情が歪《ゆが》んだ。

「それじゃあ、さっさと行くぞ」

鷹央は神尾鍼灸院の玄関を指さす。

「言われなくても行きますよ。打ち合わせどおり、先生はあくまで部外者として振る舞ってください。くれぐれもお願いしますよ」

成瀬は背後に控えていた男たちとともに神尾鍼灸院の玄関に近づき、インターホンを押した。

「あの、これってどういうことなんですか？」

成瀬たちがくり返しインターホンを押しているのを横目に、僕は鷹央に訊ねる。

「さっき言っただろ。神尾秋源の犯罪をしっかりと立証するためには、公権力の協力が必要なんだよ。だから、あの男がなにをやっているのかを教えて、捜索令状を取ってもらった」

僕にはなにも教えないくせに、成瀬には説明したのか。

「けれど、成瀬さんたちは踏み込めても、捜査員じゃない僕たちは中に入れないんじゃないですか？」

「なにを言っているんだ。この前、神尾秋源は『見学はいつでも歓迎だ』って言っていたじゃないか。だから、私はその言葉に甘えてこれから見学にいくんだ。まあ『偶然』、そのとき家宅捜索が行われているかもしれないけどな」

鷹央はくくっと忍び笑いを漏らす。どうやらそういうことで成瀬と話がついているらしい。

　僕たちが話しているうちに、玄関の扉が開き、中から松子が顔をだした。成瀬が捜索令状を松子の前に掲げながら、なにか言っている。

「松子さん、いたんですね」

「ああ、南原松子だけじゃなく、島崎美奈子と、この前治療を受けていた春江っていう女もいるぞ。島崎美奈子と連絡をとって、役者がそろうタイミングを確認しているからな」

　準備はぬかりないということか。僕が感心半分、呆れ半分で見ていると、成瀬たちは神尾鍼灸院へと雪崩《なだ》れ込んでいった。玄関先で松子が呆然と立ち尽くしている。

「さて、そろそろ私たちも行くとするか」

　鷹央はてくてくと玄関に近づいていく。

「あら、あなたは……」鷹央に気づいた松子がつぶやく。

「いやあ、また見学しようと思ってきたんだけど。大変な騒ぎになっているなぁ。なにか『若返り治療』に問題があったのかな？　今後あの治療を受けるか検討している身としては、どういうことなのか知っておかないとなぁ」

　鷹央は恐ろしいほど棒読みのセリフを吐くと、松子が止める隙も与えず玄関に上がり込む。

「……すみません。失礼します」

目を白黒させている松子に同情しつつ、僕も首をすくめて鍼灸院に入る。室内では刑事たちがせわしなく動き回っていた。

「どういうことなんだ！　なんで私が捜査なんてされないといけないんだ！」

すぐ脇にある施術室から怒声が響く。部屋に入ると、甚平姿の神尾秋源が顔を紅潮させながら成瀬にくってかかっていた。

ベッドの上にはガウン姿の春江が、不安げな表情で座っていた。おそらく今日も『若返り治療』を受けに来ていたんだろう。部屋の隅には美奈子が緊張した顔で立っている。

「お前が犯罪行為をしていたからに決まっているだろ」

成瀬が答える前に、鷹央が横から口を挟んだ。成瀬は鷹央を睨む。

「お前は、この前の……？」

秋源はまばたきしながら鷹央を見る。

「そうだ、この前、中学生に間違えられた天久鷹央だ」

本当に執念深いな、この人。

「なんでお前がこの刑事たちと一緒にいるんだ？　お前、まさか警官か？」

「警官？　なにを言っているんだか。お前のでたらめな治療をまた見学にきたら、偶然警察が捜査をしていただけだ」

鷹央はまた白々しく棒読みのセリフを吐く。恐ろしいほどの大根ぶりだった。

「でたらめ？　誰がでたらめだと？　素人《しろうと》のくせに俺の治療にけちをつけようって言うのか！」

秋源の顔がさらに赤みを増す。その時、ようやく茫然《ぼうぜん》自失の状態から回復したのか、部屋に松子が入ってきた。これで役者がそろった。

「私は素人じゃないぞ。医者だからな」

鷹央はセーターに包まれた薄い胸を張る。

「い、医者？」

秋源と松子が同時に驚きの声を上げた。

「そうだ。そこにいる島崎美奈子の依頼を受けて、ここで行われている『若返り治療』が、本当に『気』によるものなのか、それともインチキなのか調べていたんだ」

鷹央が自らの正体を明かしても、美奈子の顔に動揺は見られなかった。おそらく前もって打ち合わせていたのだろう。なにも知らないまま連れてこられたのは、僕だけということか……。

「美奈子、あなた！」

松子は娘に向かって声を荒らげる。しかし、美奈子はまったく動じることなく、母親に言い返した。

「お母さんはそこのインチキ鍼灸師に騙されているのよ。目を覚まさせるためにはこうするしかなかったの」

「なに言っているのよ！　秋源先生はインチキなんかじゃない！　だって、げんに私を若返らせてくれたのよ！」

喘《あえ》ぐように松子は声を絞り出していく。春江もそれに同意するように、首を細かく縦に振った。

「そうだ。私は彼女たちを実際に若返らせてきたんだ。いや、彼女たちだけじゃない。四十人近くの女性が私の治療を受けてきたが、その全員が効果を実感している。私は決してインチキなんかじゃない！」

松子たちの反応で勢いづいたのか、秋源は大声で叫ぶ。

「……『気』でな」

ぼそりと鷹央がつぶやいた。

「なんのことだ？」

秋源がいぶかしげに言う。

「たしかにお前の『治療』を受けた女たちは、全員が若返っている。それは紛れもない事実だ。ただ、お前は『気』を流し込むことでその効果が生まれたと主張している。

そうだな？」

鷹央は軽くあごを引いて秋源を睨《ね》め上げた。

「そ、そうだ。それがどうかしたのか」

「それが嘘っぱちだって言っているんだよ。『気』なんてものが本当にあるかどうか分からないが、少なくともお前にそれを操る技術なんてないはずだ。お前は全然違う方法で、『治療』を受けた奴らを『若返らせて』いたんだ」

鷹央の鋭い視線が秋源を射抜く。秋源は気圧《けお》されたように軽くのけぞった。

「あなたは間違っています！」

甲高い怒声が部屋に響く。見ると、松子が鷹央を睨みつけていた。

「だって、私たちは秋源先生の『気』による治療しか受けていないんです。他にはなんにもしてもらっていません。だから、私たちが若返ったのは秋源先生の『気』のおかげなんです！」

「いや、違うな」

松子の熱弁を、鷹央は一言の下に切り捨てた。

「違うってなにが⁉」松子は唇を噛む。

「お前たちは他にも、その男に処置を受けている」

「処置？」

松子はつぶやくと、問いかけるような視線を春江に向ける。春江は困惑の表情で首を左右に振った。

「分からないなら、教えてやるよ。マッサージだ。『気』を流し込まれる前に、マッサージを受けただろ。筋肉が硬いと『気』が通りにくいとかなんとか言われて」

マッサージ？　あのマッサージが『若返り』の原因？

首を捻る僕はふと、秋源の顔がこわばっていることに気づいた。

「なに言っているわけ？　あんなマッサージで若返るわけないじゃない。それに、そもそも『気』で若返ろうが、マッサージで若返ろうが、結果は同じでしょ。なにか問題があるっていうの」

松子は大声で反論すると、荒い息をつく。

「それがあるんだよ、……大問題がな」

鷹央は立ち尽くしている秋源に向き直った。

「まず気になったのは、お前の治療を受けた奴らが全員女だったことだ。たしかに『若返りたい』という欲求は男より女の方が強いかもしれないが、全員女なのはあまりにも偏りすぎている」

鷹央はちらりと春江を見る。

「そして、そこの女が『更年期障害が良くなった』って言ったことで、『若返り治療』

のからくりはほとんど予想がついた。なにより決定的だったのは、お前がマッサージをするときわざわざ医療用の手袋をつけたことだ」

医療用の手袋？　僕は二週間前の出来事を思い出す。言われてみれば、たしかに秋源は春江の腕をマッサージするときラテックス製の手袋をつけていた。

「それがどうしたって言うのよ。べつに手袋ぐらいつけたっていいでしょ！」

松子が嚙みつくように言った。

「ああ、手袋をつけること自体は問題ない。重要なのは、なんで手袋をつけなくちゃいけなかったかだ」

鷹央は悠然と、秋源に向かって一歩踏み出す。秋源は押されるように後ずさった。

「お前は素手でマッサージすることはできなかった。そんなことをすれば、自分が『若返りの秘薬』を大量に摂取することになるからな」

『若返りの秘薬』？　いったいなんのことなんだ？　新しく出てきた言葉に僕は混乱する。

「なんのこと？　私たちは秋源先生から飲み薬なんてもらっていないわよ」

言葉が出なくなっている秋源のかわりに、松子が必死に反論する。

「薬の投与方法は経口での内服だけじゃない、血管、呼吸器、肛門《こうもん》、鼻腔《びくう》、そして……」

鷹央はそこでもったいをつけるように一息間《ま》を空けると、左手の人差し指をぴょこんと立てた。

「皮膚からだ」

皮膚？　僕は目を見開いて「あっ」と声を漏らす。鷹央は横目で僕を見ると、唇の端を上げた。

「そうだ、あれこそが『若返りの秘薬』だ」

鷹央はベッド脇のカートを指さす。そこには秋源がマッサージするときに使用していたローションのチューブが置かれていた。

＊

「あのローションが……」

僕が呆然とつぶやくと同時に、それまで硬直していた秋源が素早くカートに近づき、手を伸ばす。しかし、その指がチューブに触れる前に、成瀬が秋源の前に立ちはだかった。

「神尾さん、いまは家宅捜索の途中です。勝手にものに触れないでください」

言葉こそ丁寧だが、その口調には脅しつけるような響きがあった。僕よりも身長の高い成瀬に見下ろされ、秋源はがっくりとこうべを垂れる。

「あのローションになにが含まれているんですか？」

僕が訊《たず》ねると、鷹央が湿った視線を投げかけてきた。

「お前な、ここまで言っても分からないのか？　少しは脳みそ使わないと、そのうち発酵して納豆になるぞ」

「……いつから僕の頭の中身は大豆に？」

僕は口をへの字にしながら、思考を走らせる。

女性だけを若返らせ、そして更年期障害を改善する成分……。

「……女性ホルモン、……エストロゲン？」

鷹央の表情を窺《うかが》いつつ、おずおずと言う。鷹央はにやりと笑みを浮かべた。

「その通りだ。さすがは私の部下だけあるな。まあ、これも私の教育の賜物《たまもの》だ。感謝しろよ」

まあ、たしかにその通りだし、感謝もしているのだが、そこまで恩着せがましく言われると、なんとなく複雑な気分になる。

「それじゃあ、そのローションに女性ホルモンが入っているんですか？」

僕はカートの上のチューブを指さす。

「ああ、そうだ。ひどい更年期障害の治療などに使用される女性ホルモンのエストロゲン製剤には、内服薬や注射薬の他に、経皮的に薬効成分を吸収させるものがある。

そこに置かれているものも、その一種だろうな。海外から個人輸入かなにかで手に入れたんだろ？」

鷹央は秋源に水を向けるが、秋源は細かく体を震わせるだけでなにも答えなかった。

鷹央は軽く鼻を鳴らすと、説明を続ける。

「この男はマッサージをする際に、そのエストロゲン入りのローションを大量に肌にすり込んでいたんだ。恋で女が美しくなることを説明した際にも言っただろ。女性ホルモンであるエストロゲンにはコラーゲンの合成を進め、肌に張りや潤いを持たせたり、女らしい体つきを作るなど、女としての魅力を上昇させる効果がある。エストロゲンが十分に分泌されている若い女にはそれほど劇的な変化はないが、分泌量が減少している閉経後の女に大量に投与すれば、その効果はてきめんだ。そうやってこの男は、高齢の女を『若返らせて』いたんだ」

鷹央は得意げに顎をそらす。

「……証拠」

うなだれていた秋源が、蚊の鳴くような声でつぶやいた。

「ん？　なにか言ったか？」

「証拠はあるのかよ⁉　俺がそんな薬を使ったっていう証拠はあるのか！」

唐突に顔を跳ね上げた秋源は、獣のように歯をむき出しにして詰め寄ってくる。僕は慌てて、鷹央と秋源の間に割り込んだ。

「そこに置かれたチューブを押収《おうしゅう》して、その中身がエストロゲン入りのローションなら証拠になるだろ」

鷹央は僕の体を押しのけながら言う。

「も、もしそうだとしても、俺がそれを患者たちに使ったっていう証拠にはならない。そうだ、たしかにそのローションには女性ホルモンが含まれている。けれどな、たんに置いておいただけだ。俺はそれを使った覚えはない」

秋源は目を血走らせながら、あまりにも苦しい言い訳をまくし立てる。鷹央は「往《おう》生際《じょうぎわ》の悪い奴だな」とため息をつくと、秋源の目を真《ま》っ直《す》ぐに見た。

「証拠ならあるぞ。二週間前にお前が使った医療用手袋を、ゴミ箱から回収しておいたんだ」

「なっ⁉」秋源は充血した目を剝く。

ああ、そう言えば二週間前に春江の治療が終わったとき、鷹央は鼻をかんだティッシュをゴミ箱に捨てていたっけ。あのとき、密《ひそ》かに手袋を回収していたのか。

「回収した手袋は大学の研究室で検査してもらった。そうしたら、表面から大量のエストロゲンが検出されたんだ。これが、お前がエストロゲン入りのローションを使っていた証拠だ」

「ちなみに、私たちもあなたの治療を受けた直後の患者数人にお話をうかがい、その皮膚からエストロゲン入りのローションを検出しています」

鷹央の説明を補強するように、成瀬が平板な口調で言う。

「だ、そうだ。それで、まだなにか反論はあるか」

鷹央は挑発するような口調で言う。しかし、秋源の半開きの口からは「あ、あ……」といううめきが漏れるだけだった。

「どうやら、もう反論はないようだな。それならおとなしく警察に全部話して、自分がやったことの償いをしな」

鷹央が言うと、秋源は気を失ったかのようにがっくりとうなだれた。

これで一件落着か。そう思ったとき、部屋の入り口辺りにいた松子がふらふらと鷹央に近づいて来た。

「なんなのよ、あなたは！」

金切り声が響きわたる。音に敏感な鷹央は、顔をしかめて耳を押さえた。

「薬を使っていたからなんだって言うの！　なにが『償いをしな』よ、偉そうに。秋源先生を犯罪者みたいに言って」

「犯罪者だぞ、その男は」

間髪いれず、鷹央は秋源を指さす。松子は「えっ？」と声を漏らした。

「だから、その男はれっきとした犯罪者だ。経皮的にエストロゲンを吸収させるような薬は基本的に処方箋《しょほうせん》医薬品、つまりは医師の処方によってはじめて使える医薬品だ。医師免許をもっていない者がそれを他人に使用すれば、医師法違反になる。つまり、その男は犯罪を犯していたんだ」

鷹央は淡々と事実を述べていく。

「けれど、けれど秋源先生は私たちのために……」

松子は震える唇を開いた。

「そうだ！　私は患者たちのためにやったんだ。たしかに法には触れるかもしれないが、誰が私を裁ける？　現に私の患者たちは若返り、私に感謝しているじゃないか。私はなにも間違ったことをしていない！」

うなだれていた秋源が再びまくし立てはじめる。松子と春江は、その言葉に同調するように、大きくうなずいた。

「間違ったことをしていないだぁ？」

鷹央はすっと目を細めると、低い声を出す。小さな体軀《たいく》に似合わないその迫力に、秋源の顔に怯《おび》えが走った。

「お前、なんでエストロゲンが処方箋医薬品になっていると思っているんだ。使い方によっては、大きな副作用を及ぼす可能性があるからだぞ。お前はそれをしっかりと理解して使っていたとでも言うつもりか？」

鷹央の糾弾に、秋源は答えられなかった。春江が「副作用？」と不安げにつぶやく。

「たしかに、不足しているエストロゲンを必要最低量投与することで、更年期障害に伴う諸症状の改善や、骨粗鬆症《こつそしょうしょう》の予防、コレステロール値の改善などが期待できる。けれど、その一方でエストロゲンの投与により、乳癌《にゅうがん》や子宮癌などの悪性腫瘍《しゅよう》、心筋梗塞《こうそく》や脳卒中などの発生率が上昇するんだぞ」

鷹央の説明を聞いて、春江の喉《のど》から「ひっ」という悲鳴が漏れた。

「だから、ホルモン補充療法をするときは、それによって得られるメリットとデメリットを天秤《てんびん》にかけ、患者に説明し納得してもらう。そのうえで、定期的に検査を行いながら、専門の医者が慎重に行うことが必要なんだ。お前はそれをしていたのか！」

鷹央の怒声を受けた秋源は、目を伏せる。

「しかも、報告されている副作用はあくまで、専門医が必要な量をしっかりコントロールしても生じたものだ。『治療』を受けた奴らに、外見で明らかに分かるほどの変化があらわれているところを見ると、お前は通常の投与量を遥《はる》かに上回る、とんでもない量のエストロゲンを投与していたはずだ。それだけ大量のホルモンを外から強引に投与された場合、どんな副作用が起きるかは誰にも分からない。もしかしたら、すでに癌が生じている可能性だって否定できないんだ。しかも、今後ホルモンの投与を中止することで、体に大きな反動をきたす可能性が高い。それでもお前は、自分が正しいことをしたとでも言うつもりか！」

もはや秋源は口を開くことさえできなかった。

「さて、神尾秋源さん。よろしければ家宅捜索が一通り終わったあと、署で少しお話を聞かせていただけますかね。うかがいたいことがあるんですよ、……いろいろとね」

成瀬は相変わらず脅しつけるような口調で言う。塩をかけられたナメクジのように萎《しお》れている秋源の口から、「……はい」というか細い声が漏れた。そんな秋源を、松子は虚《うつ》ろな目で見つめる。

「これで一段落だな。おい、成瀬。こいつの『治療』を受けた奴らには、ちゃんと婦人科の専門医を受診するように言っておけ。今後、しっかりケアをしていく必要があるだろうからな」

もはや『偶然居合わせた』という設定を忘れているのか、鷹央は成瀬に指示を飛ばす。命令されたことが気にくわないのか、成瀬は苦虫を嚙みつぶしたような表情を浮かべながらも、小さく頷いた。

「よし、これでもう私たちにやることはないな。それじゃあ小鳥、行くぞ」

鷹央は胸の前で両手を合わせる。

「えっ、帰るんですか？」

僕は反射的に聞き返す。たしかに事件はこれで一件落着したようだが、そんなすぐに退場しなくても。鷹央は僕のジャケットの袖を掴むと、くいっとあごをしゃくった。

「なに言っているんだ。ケーキだ。『アフタヌーン』にケーキを食いに行くぞ」

4

「……というわけで昨日、正式に逮捕状が出て、神尾秋源を逮捕しました。押収したローションからは天久先生の言った通り、高濃度の女性ホルモンが検出されました」

成瀬が抑揚のない声で言うのを、僕は電子カルテの前に置かれた椅子に座りながら聞く。奥のソファーでは、手術着姿の鷹央がレトルトカレーをぱくついていた。

神尾鍼灸院での一件があってから三日後の昼下がり、僕と鷹央は天医会総合病院の屋上に建つ鷹央の〝家〟で、成瀬の報告を聞いていた。報告など電話ですましてもよさそうなものだが、わざわざ出向いてきたのは、事件の解決に大きく貢献した鷹央に対する成瀬なりの気遣いなのかもしれない。

「それで、あの男は自分がやったことについて認めているのか」

鷹央は左手に持ったスプーンを掲げながら訊ねる。カレーが飛び散るからやめて欲しいのだが……。統括診断部の医局も兼ねるこの部屋を掃除するのは、僕の役目なのだ。

「さすがに物証もありますし、これまで神尾の『治療』を受けた人たちの証言も取れていますからね。あの男も諦《あきら》めたのか、ほとんど認めています。天久先生の言った通りだってね」

「ほとんど？」鷹央の眉がぴくりと動く。「ということは、認めていない部分もあるということか？」

「ええ、南原松子に対してだけは、女性ホルモンは投与していないって言い張っていますね」

「南原松子にだけ……」

「神尾が言うには、最初に『自分の治療を受けたら若返る』と言ったのは、たんなる軽口だったとのことです。それなのに、受診するたびに南原松子が若返っていることに、神尾自身が一番驚いていたと」

「つまり、自分はなにもしていないのに、南原松子が勝手に若返っていったと……」

「あくまで、神尾の主張ではですけどね。そして、南原松子が自分の『治療』で若返ったと思い込んでいて、他の人にもその『治療』をして商売にするべきだとアドバイスされ、あの女性ホルモンを使用した『若返り治療』を思いついたと言っています」

成瀬の説明を聞いて、鷹央は厳しい表情で考え込みはじめた。

「まあ、きっとでまかせでしょう。あの男、かなり南原松子に入れ込んでいるみたいですからね。そう言えば、もしかしたら今後も交際が続けられるかもしれないとでも思っているのかもしれませんね。まったく、相手は七十過ぎだっていうのに、なに考えているんだか。まあ、外見だけ見れば、たしかに南原松子は神尾より遥かに若く見えますけど、だからってねえ……」

成瀬は苦笑するが、鷹央はその声が聞こえていないかのように、ぶつぶつと独り言をつぶやき続ける。成瀬はいぶかしげに、僕に視線を向けてくる。

僕が肩をすくめると、成瀬は頭を掻いた。

「これから勾留《こうりゅう》期限まで神尾を締め上げてやりますんで、そのうち南原松子の件についても認めるでしょう。それじゃあ、私はこのへんで」

成瀬はそう言い残すと、さっさと玄関から出て行った。成瀬が姿を消しても、鷹央は自分の世界に入り込んだままだった。その時、電子カルテのそばに置かれていた内線電話が音をたてはじめた。僕は受話器を取る。

「はい、統括診断部医局です」

「お忙しいところ失礼します。交換台ですが、天久鷹央先生に外線電話が入っています。先生はいらっしゃいますでしょうか？」

若い女性の声が受話器から響いた。僕はカレーの盛られた皿を片手につぶやき続けている鷹央を見る。

「えっとですね、いることはいるんですけど、いまはちょっと電話に出られそうにありません。統括診断部の小鳥遊ですけど、僕がかわりに用件をうかがいますんで、繋いでもらってもいいですか」

「承知しました。それではお繋ぎします。少々お待ち下さい」

回線が切り替わるかちゃっという音が鼓膜を震わせた。

「天久先生！　天久先生ですか？」

焦燥の滲んだ女性の声が響く。

「あの、私は統括診断部の小鳥遊と申します。申し訳ありませんが、天久はただいま手が離せないので、かわりに私が……」

「小鳥遊先生、島崎です、島崎美奈子。母が大変なんです！」

「島崎さんですか⁉　えっと、少々お待ち下さい」

僕は鷹央に向き直る。

「鷹央先生、島崎さんから外線です。なにか松子さんが大変だとか」

鷹央ははっと顔を上げると、もともと大きな目を見開いた。

「スピーカーモードにしろ！」

ソファーの肘かけに皿を置きながら鷹央が叫ぶ。僕は言われた通り、電話をスピーカーモードにした。

「天久鷹央だ。南原松子になにがあった？」

「天久先生、私なにがなんだか分からなくて……」

美奈子の悲痛な声が部屋に響く。

「落ち着け。なにがあったのか詳しく教えろ」

「あのあと、母はすごい落ち込んでいて。けれど、これであの詐欺師と縁を切ってくれると思って安心していたんです。そうしたら、母が変なことを言い出して」

「変なこと？　変なことってなんだ？」

「あの男の、神尾秋源の子供を……妊娠しているって」

「妊娠⁉」僕は思わず甲高い声を上げてしまう。

「そうです。そんなわけないと思いますけど、母は一ヶ月ぐらい前からお腹《なか》が大きくなってきているとか、わけの分からないことを言って……」

美奈子は痛々しい声で訴える。

南原松子が妊娠？　彼女は七十歳を超えている。いくら大量の女性ホルモンを投与されたといっても、妊娠するわけがない。

「症状はそれだけか？　腹が膨れてきているだけなのか？」

混乱する僕をよそに、鷹央は冷静な口調で質問をする。

「いえ、違います！　違うんです。十五分ぐらい前から、母が急にお腹が痛いって言い出して、だんだん悪くなっているみたいなんです。いまは、お腹を押さえて青い顔で倒れ込んでいます。私、どうしていいか分からなくて……」

「救急車だ！」鷹央は鋭い声で叫ぶ。「いますぐ救急車を呼んで、うちの病院に搬送してもらえ。救急部には連絡しておく！」

「え？　救急車？　どういうことなんですか？」

「いいから、この電話を切って救急に電話するんだ！」

鷹央は怒鳴る。美奈子が「は、はい」と声を上ずらせると、電話は切れた。

「鷹央先生、どういうことなんですか？　もしかして、エストロゲンの副作用が」

戸惑いながら僕が訊ねると、ソファーから立ち上がった鷹央は顔を左右に振った。

「違う。エストロゲンの副作用なんかじゃない。そもそも、神尾秋源の言うとおり、南原松子には外部からエストロゲンは投与されていなかったんだ」

近づいて来た鷹央は、内線電話の受話器を摑む。

「エストロゲンが投与されていない？　それってどういうことですか？　だって、げんに南原松子は若返っていたじゃないですか。あの『若返り治療』を受けた他の人たちと一緒に」

「他の奴らと一緒じゃない。南原松子だけは自分自身で若返ったんだよ」

自分自身で若返った？　意味が分からない。

僕がさらに質問しようとすると、鷹央は受話器を取って、せわしなく電話のボタンを押した。

「産婦人科医局だな、そこに小田原《おだわら》はいるか？　そう、部長の小田原だ。私は統括診断部の天久鷹央だ。……あ、小田原。これから救急室に……」

小田原先生？　なんで産婦人科の部長を呼び出しているんだ？

混乱が深まっている僕の前で、鷹央は早口で小田原となにかを話すと、叩きつけるように受話器を置いた。

「小田原が救急部に来てくれる。私たちも行くぞ」

鷹央は叫ぶと、玄関脇の洋服掛けにかけていた白衣を手に取り、『家』から出て行った。

いったいなにが起こっているんだ？

まったく状況が把握できないままに、僕は鷹央のあとを追った。

がらがらと騒々しい音を立てながら、ストレッチャーが救急処置室に運ばれてくる。その後ろからは、こわばった表情の美奈子がついてきていた。

美奈子から電話があってから約十五分後、南原松子が救急搬送されてきた。

救急隊がストレッチャーから処置室のベッドに松子を移す。

「南原松子さん、七十二歳、女性、本日正午頃から腹痛を訴え、それが悪化してきたとのことです。血圧は一五八の九四、脈拍一一〇、サチュレーションは九十九パーセント……」

救急隊員が状況を説明している間に、研修医と看護師が松子に血圧計、血中酸素濃度モニター、心電図などをつけはじめる。

僕は松子の顔を覗き込む。血の気の引いたその顔は苦痛に歪んでいて、額には脂汗《あぶらあせ》が浮かんでいた。松子はうめき声を上げると、両手で腹を押さえて体を丸くする。

「これも『若返り治療』のせいなんですか⁉」美奈子が叫ぶ。

鷹央はベッド脇に超音波検査機を持ってきながら、顔を左右に振った。

「いや、これは神尾秋源の治療のせいじゃない。そもそも、あの男はお前の母親に女性ホルモンを投与していなかったんだ」

「なに言っているんですか？　だって、あの男がおかしなことをしたから、母は若返ったんでしょ」

「違う。実際は逆だった。若返った南原松子を見て、あの男は『若返り治療』を思いついたんだ」

「なんの話なんですか⁉　意味が分かりません！」

美奈子がヒステリックに叫んだとき、処置室に産婦人科部長の小田原が駆け込んできた。

「ごめん、鷹ちゃん。遅くなっちゃった。それでなにがあったわけ？」

息を乱した小田原は、特徴的な垂れ目をしばたたかせながら松子を見る。

「私の想像が正しかったら、お前の処置が必要なんだ」

鷹央は松子の着ているシャツをたくし上げ、ズボンを少し下ろすと、超音波検査機のプローブをその下腹部に当てた。松子の口からひときわ大きなうめき声が上がる。

軽く押しただけであれほど痛がるとなると、おそらくは腹膜炎を起こしている。なんで松子が腹膜炎を？　そもそも、鷹央の言っていた『自分自身で若返った』とはどういうことなのだろうか？

「あったぞ！」

僕が研修医とともに点滴ラインを確保していると、鷹央が声を上げる。僕は超音波検査機のディスプレイに視線を向けた。そこには鶏卵のような形をした塊が白く映し出されていた。

「……腫瘍？」

無意識に口からその言葉が漏れる。鷹央は大きくうなずいた。

「そう、卵巣腫瘍《らんそうしゅよう》だ。これが南原松子が『若返った』原因だったんだ」

「どういうことなんですか⁉」

　美奈子が声を上げる。

「卵巣腫瘍の中には顆粒膜《かりゅうまく》細胞腫や莢膜《きょうまく》細胞腫など、エストロゲンを大量に生産する腫瘍がある。半年ぐらい前から、この腫瘍は正常の分泌量の何倍、何十倍ものエストロゲンを産生しはじめたんだろう。そして、そのエストロゲンにより、お前の母親は劇的に若返って見えたんだ」

　僕は鷹央の説明を呆然と聞く。

　ホルモン産生卵巣腫瘍。たしかに知識としては知っていたが、見るのははじめてだった。

「けれど、なんでこんな強い腹痛が起きているんですか？」

「たぶん、茎捻転《けいねんてん》を起こしているのよ」

　点滴ラインを確保した僕が訊ねると、ディスプレイを覗き込んだ小田原が鷹央の代わりに答える。鷹央は超音波検査機のボードを操作して、腫瘍の大きさや位置を記録しながら「ああ、たぶんそうだ」と頷いた。

「けいねんてん？　それってなんですか？　良くないんですか？」

　美奈子の表情は不安で歪む。

「腫瘍は大量の女性ホルモン、エストロゲンを分泌して若返りの効果を生み出しながら、次第に大きくなっていたんだ。南原松子が腹部に張りを感じ、『妊娠した』とか言い出したのはそのせいだ。そして、その大きくなった腫瘍が今日、なにかの拍子に回転してしまった」

「回転したらどうなるんですか⁉」

美奈子は鷹央に詰め寄った。

「腫瘍に血液を送っていた血管が捻《ねじ》れて、血液が届かなくなる。それによって酸欠に陥った腫瘍が壊死《えし》しはじめ、強い炎症が生じるんだ。いま南原松子の腹の中ではそれが起こっている。このままだと、致命的な状態になりかねない」

「それじゃあ、どうすれば⁉」

「緊急手術をします。早く開腹して、壊死を起こしている腫瘍を摘出しないと」

早口で美奈子に答えた小田原は、救急部のスタッフを見回す。

「麻酔科と手術部に連絡を取って。あと、産婦人科の医局に電話して、手の空いているドクターにすぐ来るように言って」

「わ、私は、……癌なの？」

苦痛に顔を歪めたまま、ベッドの上の松子がうめくように訊ねた。鷹央はディスプレイから松子の顔に視線を移動させる。

「癌かどうかは、いまの時点では分からない。ただ、この手のエストロゲンを分泌する腫瘍は多くの場合、境界悪性腫瘍といって、癌とも良性腫瘍とも言いきれないものだ。手術でしっかり除去すれば完治することが多い」

「これを取ったら……、私は元に戻るの？」

「ああ、そうだ。腫瘍を取れば、大量に分泌されていたエストロゲンが消え、お前は以前の姿に戻る」

「そんなの嫌……、せっかく昔に戻れたのに。せっかく美しくなったのに……」

松子は唇を嚙む。それが痛みのせいなのか、それとも若さを失うつらさによるものなのか、僕には分からなかった。

「元に戻ったからといって、美しさが失われると決まったわけじゃないぞ」

鷹央が言うと、松子は「え？」といぶかしげに聞き返した。

「女の美しさは若さだけから生じてくるものじゃないはずだ。人生の様々な経験をした者にしか醸し出せない美もある。失った若さに囚《とら》われるのではなく、現在の自分なりの美を求めるべきだ」

「こんな年でも、綺麗になれるっていうの？」

松子は額に脂汗を浮かべながら、声を絞り出す。

「ああ、きっとできるはずだ。どんな年齢だろうとな」

鷹央は凜《りん》とした声で言う。松子は数秒黙り込んだあと、かすかに唇に笑みを浮かべた。

「そうね……、あなたの言う通りかもね……」

「鷹ちゃん、もう手術室に行かないと」小田原が声を上げる。

「ああ、よろしく頼む」

鷹央はベッド脇からどいた。その空間に小田原が滑り込み、治療の指揮を執りはじめる。やがて小田原が呼び出した産婦人科医たちも救急室にやってきて、ベッドを取り囲んでいく。

「あとは小田原たちに任そう」鷹央は大きく息を吐いた。

「そうですね」

鷹央の隣でうなずきながら、僕はベッドごと手術室へ運ばれて行く松子を見送った。

＊＊＊

「……はい、分かりました。伝えておきます」

南原松子が搬送されてきた翌日の夕方、回診中に院内携帯で呼び出された僕は小田原と話していた。

「誰からだったんだ？」

携帯をポケットに戻した僕に、背後に立っていた鷹央が訊ねてくる。

「小田原先生からでした。松子さんの卵巣腫瘍の組織検査の結果がでたらしいです。ホルモン生産性の顆粒膜腫瘍で、境界悪性腫瘍でした。鷹央先生に伝えておいてくれとのことです」

昨日、壊死を起こしはじめていた松子の腫瘍は、小田原の執刀により切除され、詳しい検査に出された。

「やっぱり境界悪性か。とすると、腫瘍摘出だけで終わりじゃないな。このあと子宮とかその周りの組織の切除術も必要だろうな」

「ええ、二週間後ぐらいを目処《めど》に、あらためて手術を行うらしいです。ただ、ほとんど広がっていないんで、手術をすれば完治できそうだっていうことでした」

「そうか、それは良かったな」鷹央は微笑む。

「松子さんはうまい具合に治療できそうですけど、神尾秋源の『若返り治療』を受けた他の人たちは大丈夫なんですかね。今後いろいろ副作用とか出てくるんじゃないですか」

「治療を受けている期間が長くても三ヶ月程度だから、そこまでひどいことにならないとは思うが、まあ投与された量が量だからな。癌が発生しないか、ホルモンバランスが大きく崩れたりしないか、注意深く経過を見ていく必要があるだろうな」

「けれど、あんな男にだまされるものなんですね。外見とか言動からして、露骨に怪しかったじゃないですか」

「若返れるっていう誘惑が目を濁らせたんだよ。女にとって若さは、それだけ価値があるものなんだ。『永遠に美しく』ってな」

「鷹央先生もそうなんですか？」僕はからかうように言う。

「私か？　私はそこまで実感ないなぁ。第一、実際にまだ若いし」

……この前、『アラサー』って言われて怒り狂った人がいた気がするのだが。

僕が呆れていると、ナースステーションの外の廊下を、スーツ姿の女性が横切った。鷹央の姉にして、この天医会総合病院の事務長である天久真鶴《まづる》だ。横顔だと高くて形のいい鼻が強調され、その美貌がさらに際立つ。

真鶴は僕たちに気づいたのか、こちらに視線を向けて微笑んだ。とろけるような笑顔、思わず膝から崩れそうになる。

鷹央に用事があったのか、真鶴はナースステーションに入ってきた。そちらに背中を向けている鷹央は、近づいてくる姉にまだ気づいていない。

「けれど、姉ちゃんとかなら、ころっとだまされていたかもな」

僕が「真鶴さんが後ろにいますよ」と伝えようとした寸前、鷹央が楽しげに言った。

唐突に自分が話題にのぼり、鷹央のすぐ後ろで真鶴は足を止めた。

「あの、鷹央先生……」

僕は顔を引きつらせる。

「ああ見えて姉ちゃん、かなり年齢を気にしているんだ。なんだかんだいって、もう三十路《みそじ》だからな。すげえ高い化粧水とか、栄養剤とか買いあさって、必死にアンチエイジングしているんだぜ」

ケラケラと笑い声を上げる鷹央に向かって、僕は必死に目配せをする。

「どうした、ウインクなんかして？　目にゴミでも入ったか？　それよりな、姉ちゃんの三十歳の誕生日なんて大変だったんだぞ。『私が三十なんて嘘！』とか、『今年は誕生日はなし！』とか、わけの分からないことを……。だからどうしたんだよ。さっきから変な顔して。後ろになにか……」

いぶかしげな表情で振り返った鷹央の体が、びくりと震えた。

「ね、姉ひゃん……」

恐怖で舌がこわばったのか、やけに舌っ足らずにつぶやく。

「鷹央、……ちょっといいかしら」

真鶴はいつもどおりの優しげな笑みを浮かべたまま、鷹央の白衣の袖を摑む。しかし、その目はまったく笑っていなかった。

「いや、姉ちゃん。違うんだ。あの……、ちょっと……。おい小鳥、助け……」

恐怖で引きつった表情を浮かべる鷹央が、真鶴にずるずると引きずられていくのを、僕は合掌して見送ることしかできなかった。

どこからか『ドナドナ』の歌が聞こえて来る気がする。そのとき、背後から「おーい、小鳥先生」と声をかけられた。振り返ると、羆《ひぐま》のような巨体の中年男が立っていた。知った顔だった。小児科部長の熊川《くまかわ》だ。

「あっ、熊川先生、どうも」

僕が挨拶すると、熊川の後ろから人影が飛び出してきた。思わず、顔をしかめてしまう。

「鴻ノ池……」

「小鳥先生、鷹央先生と一緒じゃないんですかぁ？」

二年目の研修医にして、僕の天敵である鴻ノ池舞は笑顔で訊ねてくる。

「いま、真鶴さんに連行されていったよ。あの様子じゃ、当分は戻ってこられないだろうな。それより鴻ノ池、腹の傷は大丈夫なのか？」

先月のはじめ、鴻ノ池は虫垂炎の手術を受けたうえ、『幻影の手術室事件』において殺人の容疑をかけられた。肉体的にも精神的にも、まだダメージが残っていてもおかしくはない。

「ああ、それならもう大丈夫です。心配しないでください」

鴻ノ池はおどけた仕草で力こぶを作る。無理しているようには見えなかった。そのタフさに感心する。

「で、お前、なんで熊川先生と一緒なんだ？　今月は小児科研修じゃないだろ」

「皮膚科なんですけど、病み上がりだからってすごく気を使ってもらって、ちょっと暇なんですよね。午後三時頃まで外来見学したら、『もう、家で休んでいてもいいわよ』とか言われちゃって。だから、余った時間で熊先生のお手伝いをしているんです」

「そこは、ちゃんと休めよな……。で、なんの用だったんだよ？」

僕が訊ねると、鴻ノ池は笑顔を引っ込める。代わりに、熊川が口を開いた。

「うちの科に入院している患児について、鷹央ちゃんに相談があるんだ。鴻ノ池ちゃんがうちに回っているときに、一緒に担当した患者でもあるんだよ」

「ああ、診断についてのご相談ですか。それじゃあ、鷹央先生が戻って来たら、小児科病棟に向かいますよ」

僕は「折檻《せっかん》後に、動ければだけど」と胸の中で付け足しつつ、言葉を続ける。

「ちなみに、どんな状態の患児なんですか？」

「再発した急性リンパ性白血病の、九歳の女の子だよ」

「え？　もう診断はついているんですか？　それじゃあ、鷹央先生になんの相談を？」

僕が目をしばたたかせると、熊川は躊躇《ためら》いがちにつぶやいた。

「鷹央ちゃんに、……神様の正体を暴いてほしいんだ」

Karte. 03 聖者の刻印

「はいはい、ちょっと待ってくださいね」

教会の暗い廊下を小走りに進みながら、森下則夫《もりしたのりお》はつぶやく。熟睡していたところをインターホンで叩《たた》き起こされたため、体が重かった。

正面玄関に向かいながら、横目で廊下の掛時計を見る。時刻は午前一時を回っていた。思わずため息が漏れる。

こんな深夜に誰が訪ねてきているのか、予想はついていた。おそらくはホームレスだろう。空腹に耐えきれなくなったホームレスが、助けを求めて教会の門を叩くことが頻繁にあった。

もちろん、できる限りのことをしたいとは思う。隣人を愛すること、それこそがキリスト教の基本理念なのだから。しかし、現実はそう単純ではなかった。

秋田の教会から、西東京市のこの小さな教会に神父として赴任してから一年ほど経《た》つ。その間、週に二、三度はこうして夜間の訪問を受けていた。

最初の頃は切々と空腹を訴えてくる相手に同情し、食事をふるまっていた。しかし、そのうちに「あの教会に行けば食事が出る」という噂《うわさ》が広がり、大量のホームレスが押しかけるようになった。森下が一人で回しているこの教会には、大人数に食事をふるまう能力もなければ、金銭的な余裕もない。そのことを説明したところ、「不公平だ！」と詰め寄られ、小突かれたことすらあった。

いまでは空腹の者には市の福祉課への連絡先を、体調不良の者には近くの総合病院への受診方法を教えるようにしている。そんな対応で良いものか悩んで教区の上司に相談しても、「問題ない」と言われるだけだった。

救うべき相手がいるのに、事務的な対応しかできない自分が歯がゆく、いつしか胸の奥に黒い染《し》みが巣くっていた。その染みはゆっくりと、しかし確実に大きくなっている。

全《すべ》て黒く塗りつぶされてしまったとき、自分は信仰を保っていられるだろうか？

この数ヶ月、ずっとそんな不安に苛《さいな》まれて、必死に祈っていた。「私の信仰を試さないでください。どうぞ私の進む道をお示しください」と。

ようやく正面玄関へとたどり着いた森下は、錠を外し、扉を開く。同時に、強い風と雨が吹き込んできた。いつの間にか、外はかなりの荒天になっていたらしい。

玄関脇《わき》の壁に埋め込まれた『田無保谷《たなしほうや》カトリック教会』と記されたプレートの前に、ロングコートを着た男が俯《うつむ》いて立っていた。よく顔が見えないので、年齢ははっきりしないが、五十歳は超えているだろう。脂《あぶら》の浮いた白髪まじりの髪は肩まで伸び、あごや口の周りは髭《ひげ》で覆《おお》われている。その肩は寒さでか、それとも泣いているのか細かく震えていた。

「どうなさいましたか？」森下は柔らかく声をかける。

「声が……聞こえる……」

ずぶ濡《ぬ》れの男は、おぼつかない足取りで近づいてきた。ホームレスの男に小突かれた経験が脳裏をよぎり、森下は思わず身構える。

目の前まで近づいた男は、ゆっくりと顔を上げた。その瞬間、森下は動けなくなる。視線が男の充血した目に、いや、目から流れる涙に吸い付けられる。

その涙は紅《あか》かった、まるで血液が流れだしているかのように。

血の涙……。森下の脳裏を、神学校時代に聞いた『奇蹟《きせき》』の話がよぎる。

金縛りにあっている森下に向かって、男が左手を伸ばしてくる。掌《てのひら》が顔の前に突き出された。森下は目尻《めじり》が裂けそうなほどに目を見開く。

何の変哲もなかった男の掌、そこにゆっくりと赤い模様が浮かび上がってきた。

十字架の模様が。

「聖《せい》……痕《こん》……」

震える声でつぶやいた森下は、おずおずと両手を伸ばす。

両手で男の手を握り、恭《うやうや》しくこうべを垂れた瞬間、胸に広がっていた黒い染みが消え去っていった。

1

「患児は羽村里奈《はむらりな》ちゃん、九歳、三年前に息切れでうちの救急部を受診、重度の貧血を認めたので入院して検査したところ、急性リンパ性白血病と診断された」

十階のナースステーションに置かれた電子カルテの前で、熊川《くまかわ》は淡々と説明していく。

相談事があるということで病棟を訪れた熊川と鴻ノ池《こうのいけ》は、（真鶴《まづる》に折檻《せっかん》を受けている）鷹央《たかお》が当分戻っては来ないだろうということで、まずは僕に状況の説明をしていた。

「俺が主治医で、その頃、研修医として小児科を回っていた鷹央ちゃんと一緒に治療に当たった。化学療法により寛解になり、その後は外来で経過観察を続けていたんだ」

寛解とは、血中から白血病細胞が完全に検出されなくなる状態のことをいう。急性リンパ性白血病は小児によくみられるタイプの白血病で、その予後はかなり良好だ。大部分の症例で寛解に持っていくことができ、九割方そのまま再発することなく完治する。しかし、残りの一割は……。

「でも、再発したんですね」

僕がつぶやくと、熊川は重々しく頷《うなず》いた。

「ああ、去年再発が認められた。もう一度、化学療法を行って寛解したが、今年になってまた再発。……いまは入院中だ」

熊川はマウスを操作して、カルテを流していく。そこに表示されているデータを見るにつれ、数ヶ月前の記憶が蘇《よみがえ》ってくる。ニューヨークヤンキースの野球帽をかぶった少年の姿が脳裏をよぎった。

「この子の状況って、なんか……健太《けんた》君に似ていますよね」

僕が躊躇《ためら》いがちにつぶやくと、熊川はあごを引いた。

「ああ、たしかに。しかも、里奈ちゃんは健太君の友達でもあるんだ。彼と同時期に入院していたからね」

三木《みき》健太、数ヶ月前に小児科病棟で起きた『病室の天使事件』の際、天使を目撃した白血病の少年。彼がたどった経過に、羽村里奈という少女の病状はとても似ていた。

あの事件のとき、もはや助からない少年にどう接していいか分からず、鷹央はパニックになり、事件に背を向けて自らの殻に閉じこもった。しかし最後には、『天使の謎《なぞ》』を解明し、健太の最期《さいご》をしっかりと看取《みと》ったのだった。

あの事件を通して、鷹央は医師として、そして人間として間違いなく成長した。しかし、親しかった少年を救えなかったという哀《かな》しみは、いまも彼女の胸に残っているだろう。熊川が持ってきたこの相談を受けることで、きっとつらい記憶が蘇るはずだ。

「……この子について、鷹央先生に相談するんですか?」

自分でも表情がこわばっているのが分かる。熊川は「ああ、そうだ」と答えた。鴻ノ池も口を固く結びながら頷いている。僕は目を伏せた。

「鷹央先生じゃないと解決できないような何かがあるんですね。……重要な何かが」

この件に鷹央がかかわることの意味を、この二人が理解していないわけがない。『病室の天使事件』の際、鷹央がどれほど苦しみ、悩みぬいたかを、二人とも目の当《ま》たり《あ》にしているのだから。それにもかかわらず相談を持ち掛けたということは、それだけ切迫した事態だということなのだろう。

「私がなんだって?」

背後からの声に、僕たち三人は一斉に振り返る。見ると、鷹央がナースステーションに入ってくるところだった。その足取りはふらついていて、元々ウェーブがかかっている髪がいつも以上に乱れている。

「鷹央先生、……大丈夫でしたか?」

僕が訊《たず》ねると、鷹央の顔から血の気が引いていき、華奢《きゃしゃ》な肩が細かく震えだした。

いったいどんな折檻を受けたんだか……。

「あっ、なんでもありません。あの、熊川先生がちょっとご相談があるって……」

「相談ってなんだ？　診断がつかない症例でもあったのか？」

恐怖の記憶を必死に忘れようとしているのか、小走りに近づいてきた鷹央は、僕を押しのけて電子カルテを覗《のぞ》き込んだ。すぐに、その顔がこわばる。

「羽村……里奈か……」

「ああ、そうだよ。里奈ちゃんについて相談があるんだ」熊川が言う。

「……移植だ」鷹央はあごを引き、画面を睨《にら》みつけた。「この状態になったら、同種造血幹細胞移植しか治療法はない。それくらい私に相談しなくても分かるだろ」

大量の抗癌剤《こうがんざい》の投与と放射線照射により、骨髄中の造血幹細胞もろとも白血病細胞を消滅させたのち、他人の骨髄から採取した造血幹細胞を投与する同種造血幹細胞移植。一般的に『骨髄移植』と呼ばれるその治療法は、白血病治療の最終手段だ。

「もちろん分かっているよ。もう骨髄バンクにも連絡を入れてある。運よく適合するドナーも見つかった。再来週から移植前処置の抗癌剤の投与と、放射線照射を開始する予定だ」

「なら、何が問題なんだ？　データを見る限り、全身状態はそれほど悪化していない。前処置に耐えられるはずだ。骨髄移植さえ受ければ、完治できる可能性は十分にある」

「……母親だよ」

熊川は眉間《みけん》に深いしわを刻んだ。

「三日前、母親が移植を拒否したんだ」

「拒否⁉ なんでだ？ もう骨髄移植以外に治療法はないだろ。移植をしない限り、数ヶ月以内に命を落とすんだぞ」

「分かっているよ。俺もそう説明した。けれど、骨髄移植はしないの一点張りなんだ。再来週の月曜までに骨髄バンクに連絡しないと、移植はできなくなる」

熊川のいかつい顔に、濃い苦悩の色が滲《にじ》む。

大量の抗癌剤を使用する白血病の治療は、かなりつらいものだ。母親として、それを受けさせたくないという気持ちは理解できなくもなかった。

「あの……、他の家族に母親を説得してもらうわけにはいかないんですか？ 父親とか、祖父母とか」

僕の提案に、熊川より早く鷹央が答える。

「ダメだ。里奈の母親である羽村佐智《さち》は、夫を事故で亡《な》くしている。両親も早くに他界して、娘の里奈以外に家族はいない」

唯一《ゆいいつ》の家族である一人娘が白血病に冒されたのか……。僕は唇を噛《か》む。

「つまり、このままでは娘が命を落とすのを分かったうえで、羽村佐智は骨髄移植を拒んでいるっていうことか？」

鷹央の質問に、熊川はゆっくりと首を横に振った。

「いや、そうじゃない。移植なんか受けなくても白血病は治る。そう思っているんだ」

「そんなわけない！　末梢血《まっしょうけつ》にこれだけ白血病細胞が出てきているんだぞ。このままだと、間違いなく命を落とす！」

「分かってる。けれど、いくら説明しても信じてくれない。これまで、二回再発したことで、かなりの医療不信になっているんだよ」

「それで、私に母親を説得しろっていうのか？」

鷹央は意味が分からないというように首を横に振る。相手の気持ちを読む能力が先天的に欠けている鷹央にとって、他人の説得は最も苦手なことの一つだ。

「違うんです、鷹央先生」鴻ノ池が声を上げる。「先生には『神様のお告げ』が偽物《にせもの》だって証明して欲しいんです」

「神様のお告げ？」僕と鷹央の声が重なる。

そういえば、さっき『神様』がなんたらとか言っていたっけ。しかし、白血病の治療とどう関係するんだ？

僕と鷹央が首を捻《ひね》っていると、熊川が疲労の滲む声で言った。

「里奈ちゃんの母親は『預言者』から『骨髄移植を受けなくても、娘は完治する』っていう神様のお告げを受けたそうなんだよ。……奇蹟を起こす預言者からね」

「預言者というのは、『未来を予知する者』と間違えられることが多い。しかし、多くの宗教ではそうではなく、『神の言葉を預かる者』、つまりは超越者からの言葉を受け、それを人々に伝える者という意味で使われている。有名な預言者としては、旧約聖書に出てくるモーセやエリアなど……」

階段を下りながら『預言者』についての蘊蓄《うんちく》を垂れる鷹央の背中を、僕は黙って眺める。なにかにつけて鷹央が知識を垂れ流すのはいつものことだが、その口調には普段のような覇気が感じられない。

熊川から話を聞いた僕たちは、とりあえず患児の母親と話をするため、七階の小児科病棟へと向かっていた。

『謎』の気配を嗅《か》ぎつけると、鷹央は決まって（僕が引くぐらい）ハイテンションになる。しかし、今日に限っては『奇蹟を起こす預言者』という、魅力的な『謎』の気配が漂う話を聞いたにもかかわらず、気分が乗っていないように見えた。

僕は鷹央の後頭部に視線を向ける。きっとあのスーパーコンピューターのような脳では、三木健太との哀しい記憶が鮮明に再生されているはずだ。べらべらと知識を吐き出しているのも、きっと動揺を悟られないようにしているのだろう。

けれど、バレバレなんだよな……。明らかに挙動不審な鷹央を眺めながら、僕は首筋を掻《か》く。

七階に着いた僕たちは小児科病棟へと向かった。鷹央はまだ鴻ノ池に向かって『預言者』についての蘊蓄を語っていたが、その横顔は明らかにこわばっていた。勘のいい鴻ノ池もそのことに気づいているのか、相槌《あいづち》を打つ表情が冴《さ》えない。

小児科病棟のナースステーション前へとたどり着くと、熊川が中にいる若い看護師に声をかけた。おそらく、羽村里奈の担当看護師なのだろう。

「悪いけど、里奈ちゃんのお母さんを呼んできてくれないか？」

「里奈ちゃんのお母さんですか？　二時間ぐらい前に帰られましたよ」

「あっ、そうなんだ。いつもは面会時間いっぱいまでいるのにな」

熊川は首筋を掻く。

「なんか、最近は早く帰る日が多いんですよ。ちょっと前までは、ずっと里奈ちゃんと一緒にいたのに……。ちなみに、いまは他の人が里奈ちゃんのお見舞いをしています」

「他の人？」

「ええ、若い女性です。里奈ちゃんの学校の先生とかじゃないですかね」

看護師はそう言ってナースステーションの奥へと消えていった。熊川は申し訳なさそうに太い首をすくめる。

「ごめん、鷹央ちゃん。てっきりお母さんは残っているものだと思っていて。えっと……、里奈ちゃんに会っていくかい？」

鷹央の顔に動揺が浮かぶ。その羽村里奈という子に会えば、いやがおうでも三木健太との記憶が蘇ってくるだろう。そうでなくても、もうすぐ命を落としてしまうかもしれない顔見知りの子供と顔を合わせることは、辛《つら》いことに違いない。

「……会う」十数秒の沈黙ののち、鷹央は喉《のど》の奥から声を絞り出した。

緊張をはらんでいた熊川の顔にかすかに笑みが浮かび、僕も口元を緩ませた。見ると、隣に立つ鴻ノ池も微笑《ほほえ》んでいる。

「それじゃあ、案内するよ」

熊川を先頭に僕たちは廊下を進んでいく。緊張で足元がおぼつかないのか、平らなはずの廊下で、鷹央は何度も躓《つまず》いていた。

「あそこが里奈ちゃんの病室だよ」

熊川は五メートルほど先にある個室病室を指さす。足を止めた鷹央は、若草色の手術着に包まれた胸に左手を当て、深呼吸をくり返した。

「個室なんですね」僕は熊川に声をかける。

「ああ、白血病のせいでかなり正常白血球が減って、易感染《いかんせん》状態だからね。個室の方がいいんだ。それに、里奈ちゃんのお母さんは、経済的に余裕があるらしくてね」

「もともと、実家が資産家だったんですって。それで、ご両親の遺産を受け継いだとか」

鴻ノ池が付け足す。僕は「そうか」とつぶやきつつ、鷹央の様子を窺《うかが》った。肺に残っていた空気を全て出すかのように大きく息を吐くと、鷹央は「よし、行くぞ」と顔を上げる。そのとき、病室の扉が開いた。

中から長身の女が出てくる。黒縁の眼鏡、明るい茶髪のロングヘアー、涼やかな切れ長の目。彼女には見覚えがあった。先週の金曜、救急部での勤務を終えてエレベーターに乗り込もうとした際、すれ違った女だ。

女は「じゃあね、里奈ちゃん」と手を振りながら扉を閉めると、振り返ってこちら側を見る。その体がびくりと震えた。

この前もこんな反応だったな。やっぱり、僕たちのことを知っているのか？

僕が首を捻っていると、鷹央がつかつかと女に近づいていった。

「久しぶりだな。こんなところで何しているんだ、この詐欺師《さぎし》が」

さっきまでの緊張した様子とは一変して、鷹央は挑発的に言う。女の頬が引きつった。

「詐欺師？」

僕が聞き返すと同時に、女は素早く鷹央の脇をすり抜けた。運動神経も反射神経も絶望的に鈍い鷹央は、ほとんど反応できない。数歩後ろにいた僕に女が迫ってくる。

「そいつを逃がすな！　捕まえろ！」

振り返った鷹央が叫ぶ。状況がつかめないままに、僕は両手を広げて女の行く手を遮った。鷹央が逃がすなと言うのだ、なにか理由があるはずだ。

女は僕の前で立ち止まると、小さく舌打ちをした。

「あの、申し訳ありませんが、ちょっと待っていただけますか」

僕が両肩に軽く手を添えると、女は諦《あきら》めたのか大きなため息をつく。次の瞬間、脳天まで激痛が突き抜けた。声にならない悲鳴を上げながら、僕は視線を下げる。いつの間にか、ヒールを履いた女の足が僕の股間《こかん》を蹴《け》りあげていた。あまりの激痛に息ができない。女の肩に置いた手が垂れ下がってしまう。

女が意地の悪そうな笑みを浮かべてすれ違っていくのを眺めつつ、僕はその場に膝《ひざ》をつき、体を丸くする。鷹央の「あっ、何やってるんだ！」という声が聞こえてくる。

こういうときは、まず部下の心配をするもんじゃないか？

胸の中で恨み言をつぶやいたとき、「ちょっと、放してよ！」という甲高い声が響き渡った。痛みに耐えながらゆっくりと振り返った僕は、目をしばたたかせる。そこでは、長身の女が廊下の壁に押し付けられていた。背中に回された女の手を、鴻ノ池が片手で捻りあげている。傍目にも、手首、肘《ひじ》、肩の関節がしっかりと極《き》められているのが見て取れた。女がかけていた眼鏡が、床に落ちている。

「子供の時、ちょっと合気道を習っていたんです」

鴻ノ池は得意げに微笑んだ。

「舞《まい》、よくやった」

鷹央は軽い足取りで（僕に一瞥《いちべつ》もくれることなく）女に近づいていった。

「捕まえたぞ、詐欺師。これで問題は解決だ」

「……問題は解決って……どういうことなんですか？　そもそも……その人、誰なんですか？」

下腹部の痛みに耐えながら、僕は声を絞り出す。

「おいおい、まだ分からないのかよ？『恋人の呪《のろ》い事件』のときに、会っているだろ」

鷹央は呆《あき》れ声で言うと、背伸びをして女の髪を引っ張る。茶髪のウィッグが外れ、その下からボブカットの黒髪が現れた。僕は一瞬だけ下腹部の疼痛《とうつう》も忘れ、「あっ⁉」と声を上げる。鷹央はにやりと口角を上げた。

「杠阿麻音《ゆずりはあまね》、自称『霊能力者』の詐欺師だ」

「なんなのよ、こんなところに連れてきて。私がなにをしたっていうわけ？」

さっきまで鴻ノ池に捻りあげられていた右手をさすりながら、杠阿麻音は唇を尖《とが》らせる。

数ヶ月前、鷹央と僕は、原因不明の腹痛と喀血《かっけつ》をくり返し、「死んだ恋人の呪いだ」と訴える女性を診察した。その際に出会ったのが、この杠阿麻音だった。霊能力者を名乗った阿麻音は、「自分なら『呪い』を解くことが出来る」と患者に近付き、大金を騙《だま》し取ろうとしていた。

結局、鷹央により『呪い』の原因は解明され、さらに詐欺師であることを暴《あば》かれた阿麻音は、その場から逃げ去ったのだ。

鴻ノ池が捕まえた阿麻音を、僕たちは病棟の隅にある病状説明室へと連れてきていた。患者やその家族への病状説明に使用する狭い部屋に入ると、観念したのか阿麻音は抵抗することなく、ふて腐れた態度でパイプ椅子《いす》に腰掛けた。

「なにしらばっくれているんだ、この詐欺師が」

テーブルをはさんで阿麻音の対面の席に腰掛けた鷹央が、吐き捨てるように言う。その隣には、状況がつかめていない熊川が戸惑い顔で座っている。僕と鴻ノ池は、阿麻音が逃げ出さないように出入り口の扉の前に立っていた。

「あの……、小鳥《ことり》先生、大丈夫ですか？」

鴻ノ池が小声で心配そうに訊《き》いてくる。

「……大丈夫だ」

「でも、全然大丈夫そうに見えないんですけど。顔、真っ青だし、脂汗すごいし」

たしかに、いまだ下腹部に鈍痛が残り、背中をまっすぐに伸ばすことさえできなかった。

「あの……、潰《つぶ》れていたりは……」鴻ノ池は上目遣いに僕を見る。

「してない！」

「潰れていないにしても、救急部とかで治療受けた方が良いんじゃないんですか？まだ痛むんでしょ？」

「この痛みは享受《きょうじゅ》するしかないんだ。男にはただ黙って耐えないといけないときがあるんだよ」

「なんか、深いことを言っているような、そうでもないような……」

鴻ノ池がこめかみを掻くと、黙り込んでいた阿麻音が口を開いた。

「べつにしらばっくれてなんかいないわよ。そもそも、なんの権利があって、あなたたちは私をここに閉じ込めているの？　これって、不当な監禁じゃないの？」

「お前は小鳥の睾丸《こうがん》を蹴り潰した。明らかな傷害罪だ。現行犯なら、警察じゃなくても逮捕することができる」

「潰れていない！」

抗議の声をあげると、鷹央は不思議そうに僕を見た。

「潰れていないのか？　あんなに大げさに痛がっていたのに？」

「……この痛みは、いくら説明しても女性には分かってはもらえないんです」

熊川が同情の表情を浮かべてくれる。

「けれど、念のためしっかり診察を受けておいた方がいいぞ。今後、使う予定がないとしてもな」

「使う予定がないってどういう意味ですか」

「どういう意味って。お前、女にフラれてばかりだろ。だから、性……」

「それ以上言わなくていいです！」

「どうしたんだよ、急にでかい声出して。なんなら、あとで私が診察してやろうか？」

「絶対嫌だ！」

僕は声を張り上げる。隣で鴻ノ池がにやにやと、いやらしい笑みを浮かべた。

「小鳥先生、鷹央先生に診察してもらうのが恥ずかしいんですって」

「恥ずかしい？　私は医者だ。プロとしてちゃんと診察してやるぞ。恥ずかしがる必要なんてないだろ」

「それでも、嫌なものは嫌なんです！　あとでちゃんと当直の泌尿器科医《ひにょうき》にでも診察受けますから、それでいいでしょ。それより、いまは杠さんについて話しましょうよ」

僕は「なに、この馬鹿《ばか》な漫才は？」といった表情で嘆息している阿麻音を指さす。

「それもそうだな。というわけで、お前が小鳥に暴力を振るったのは紛れもない事実だ」

「あなたたちが突然、私を捕まえようとしたからでしょ。正当防衛よ。これ以上、ここに監禁するつもりなら、警察呼ぶわよ」

阿麻音に睨みつけられた鷹央は、皮肉っぽく唇の端を上げる。

「呼べるもんなら呼んでみろ。お前は職業柄、警察にはかかわりたくないはずだ」

阿麻音は頬を引きつらせて言葉に詰まる。十数秒後、大きなため息をついた阿麻音は、両手を軽く上げた。

「分かったわよ。降参」

「ようやく認めたか。よし、これでこの件は解決だな」

「あの、鷹央ちゃん。いったいどういうことかな？　俺には全然状況が見えないんだけど……。そもそも、この女性は誰なんだい？」

熊川が困惑の表情を浮かべる。

「こいつは杠阿麻音、と言っても本名ではないだろうけどな。プロの詐欺師だ」

「詐欺師……」熊川は阿麻音を見る。

「原因不明の疾患で悩んでいた患者さんに霊能力者を名乗ってつけ入り、『それは呪いだ』って騙して、除霊料として大金をとろうとしていたんですよ」

僕が説明すると、熊川の目付きが鋭さを増していった。

「それじゃあ、さっき鷹央ちゃんが『問題は解決だ』って言ったのは……」

「そうだ。こいつこそ『預言者』だ。こいつは娘の白血病で悩む羽村佐智に近づいて、悩みに付け込んで金を騙し取ろうとしていたんだ」

鷹央は身を乗り出すと、左手の人差し指を阿麻音の鼻先に突きつけた。

「ちょっと待ってよ。私はそんなことしていないわよ」

阿麻音は鷹央の手を軽くはたく。鷹央は鼻の付け根にしわを寄せた。

「往生際《おうじょうぎわ》が悪いぞ。それじゃあ、なんでお前が羽村里奈の病室にいたんだ。どうせまた、霊能力者を名乗って近づいたはずだ」

「……たしかに、知人を通じて羽村佐智さんに会ったわよ。それで、里奈ちゃんの病気について話を聞いてあげた」

「なにが『話を聞いてあげた』だ。自分が治してやるから、骨髄移植を受けなくていいって言ったんだろ」

「そんな馬鹿なこと言うわけないでしょ！」

大声を出して立ち上がった阿麻音は、はっと我に返ったような表情を浮かべると、居心地が悪そうに椅子に腰を戻した。

「前にも言ったでしょ、私はカウンセラーみたいなものなの。私が『治療』をしてあげるのは、『あなたは治った』って言ってあげることで、症状が軽くなる人だけ」

「それって、精神的な原因で症状が出ている患者さんに暗示をかけて、プラセボ効果で治療するってことですか？」

つぶやいた鴻ノ池を、阿麻音は「我が意を得たり」とばかりに指さす。

「そう、そのとおり！　私はちゃんと依頼者の利益になることをしているの。実際、ほとんどの場合、依頼者は私にすごく感謝してくれているんだから」

「この前のケースでは、精神とは無関係の疾患によるものだっただろ」

鷹央が突っ込むと、阿麻音は濃い紅をさした唇をへの字に曲げる。

「あれはレアケースよ。あんなわけの分からない病気が原因だなんて、分かるわけないじゃない」

「それじゃあお前は、骨髄移植を受けないように、羽村佐智にアドバイスをしていないって言うのか」

「そうよ。これは除霊とかで治せる病気じゃないから、しっかり病院で治療を受けるべきだって、佐智さんにはちゃんと言ったわよ」

「……本当か？」鷹央は疑わし気に目を細める。

「当たり前でしょ。素人《しろうと》の私だって、白血病を放っておけばどうなるかぐらい分かってる。私のアドバイスのせいで治療を受けなくて、その結果として最悪のことが起こったら、自分がどれだけやばい立場になるかぐらい理解しているわよ」

「つまり、リスクマネジメントのために、命にかかわるような疾患の患者を騙したりしないということか」

「騙すっていう言い方はちょっと引っかかるけど、まあそういうこと」

「それじゃあ、なんで羽村佐智は娘の治療を拒否しているんだ。本人は『神のお告げを受けた』って言っているんだぞ」

鷹央が訊ねると、阿麻音の表情が歪《ゆが》んだ。

「佐智さんは、私の『次』を探したのよ」

「次？」

「そう、不思議な力で娘の白血病を治してくれる人をね。そして、……見つけたの」

「それが預言者っていうわけか。そいつもお前と同じように、コールドリーディングを使って、依頼者に自分が霊能力者だって信じ込ませるのか？」

外見を観察したり、何気ない会話を交わすことで相手から情報を得て、それを言い当てるコールドリーディング。阿麻音はそれを駆使することで、自らに不思議な能力があるかのように見せかけていた。

「全然違うわよ」阿麻音は大きくかぶりを振った。「私も興味があったんで一度見学してみたけど、あの男がやっているのは……『奇蹟』よ」

「奇蹟？　お前の口からそんな言葉が出るとはな。そういう超常現象を全く信じないタイプだと思っていたよ」

鷹央は皮肉っぽく言う。

「ええ、もちろん信じてなんかいない。何かトリックがあるはずだと思っている。けどね、どれだけ考えてもタネが分からないし、そのうえお墨付きまである。だから、なんというか……戸惑っているのよ」

「お墨付き？」

「そう、神父がその預言者に入れ込んで、自分の教会に住まわせているのよ。そりゃあ、個人で動いている私なんかより信頼感あるわよね」

阿麻音は自虐《じぎゃく》的な笑みを浮かべた。鷹央の目が大きくなる。

「神父ということは、正式なカトリックの教会か？　そこが預言者だと認めているのか？」

予想外の展開に僕も驚く。そんな怪しい人物を、新興宗教ならまだしも、カトリックの教会がバックアップするなんて。

「いまのところ、あくまで神父が個人的に心酔していて、自分の教会でパフォーマンスをさせているだけ。けれど、神父は『預言者』として、正式に総本山に認めてもらおうとして動いているらしいわよ」

「総本山というのは、バチカンということか？　たしか、バチカンには奇蹟の調査を行い、その真贋《しんがん》を判断する機関があるはずだ」

鷹央が声をひそめる。

「そうみたいね。そして、佐智さんもその預言者に入れ込んでいる。そいつの言うことなら、無条件に信じるぐらいにね。最近、里奈ちゃんに面会している時間が少なくなっているのは、その預言者を崇拝するグループの集まりに出ているから。もちろん、今日もそうよ」

阿麻音は芝居じみた仕草で両手を開いた。

「これで、里奈ちゃんの治療を止めているのは私じゃないって分かったでしょ。それじゃあ、もういいわね」

腰を浮かしかけた阿麻音に、鷹央が「座れ！」と鋭い声を飛ばす。

「なによ。まだ何か用があるわけ？」

大人しく椅子に腰を戻した阿麻音の目を、鷹央はまっすぐに覗き込む。

「お前、なんでこの病院にいた？」

「え？　何でって……？」

「里奈の病状を知ったお前は、羽村佐智を騙して金を取ることは諦めた。それなら、もう羽村親子に用はないはずだ。にもかかわらず、お前は病院に来て里奈に会っている。それどころか、わざわざ羽村佐智が頼っている預言者の『奇蹟』まで見学に行った。金にもならないのに」

鷹央は両手をテーブルにつくと、思い切り身を乗り出す。

「お前、……情が移ったんだろ？」鷹央は挑発的に言った。「霊能力者として相手の信頼を得て大金を騙し取るためには、一回だけの接触だけでは不十分だ。何度も顔を合わせ、話を聞き、そしてコールドリーディングで時々驚かせることで信頼を得ていく。そうやって羽村親子と接しているうちに、お前は二人に同情していった。そうだろ？」

鷹央が水を向けるが、阿麻音は硬い表情で黙り込んだままだった。鷹央は喋《しゃべ》り続ける。

「羽村佐智が預言者に傾倒し、骨髄移植を拒否したことを知ったお前は焦《あせ》った。自分と同じような詐欺師に騙されて、取り返しのつかないことをしていると思ったんだ。

だからこそ、預言者のペテンを暴くために教会に行ったが、そのトリックを見破れなかった。無力感に苛まれたお前に出来ることは、変装してこの病院に見舞いに来ることぐらいだった。そうじゃないのか？」

「そうよ、その通りよ！」

阿麻音は唐突に甲高い声で叫ぶと、鷹央と同じようにテーブルに両手をついて身を乗り出した。二人は鼻先が付きそうな距離で睨み合う。

「両親も旦那さんも亡くした佐智さんには、里奈ちゃんしかいないの。その里奈ちゃんが白血病になって、しかも二回も再発したせいで、佐智さんは強い医療不信になった。だからこそ超常的な力に頼ろうとしているの。あなたたちがちゃんと里奈ちゃんを治していれば、こんなことにはならなかったのよ！」

声を荒らげる阿麻音に、鷹央は淡々と答える。

「医療は完璧《かんぺき》なものじゃない。最近では小児の白血病は高い確率で治癒するようにはなっているが、それでも一定の確率で再発し、……中には命を落とす患児もいる。ただ、里奈はまだ十分に治癒する可能性がある。あの子はその可能性に賭《か》けるべきだ」

「分かってる！」阿麻音は表情を歪めると、顔を伏せた。「そんなことぐらい分かってる。これが全部私のせいだって。私が不思議な力が存在すると信じさせたからこそ、普通の治療を勧められたあとも、佐智さんは超能力者を探し続けた。私よりも能力があって、里奈ちゃんを助けてくれる超能力者を……」

細かく肩を震わせる阿麻音の声が途切れ、部屋に重い沈黙が下りた。

「あ、あの……」小さく鴻ノ池が手を上げる。「それなら、佐智さんに『自分は超能力者なんかじゃなくて、詐欺師だったんだ』って伝えればいいんじゃないですか？そうすれば、佐智さんも超能力なんて存在しないって分かってくれるんじゃ……」

阿麻音は力なく顔を上げた。

「だめよ。もう私が何を言っても無駄。彼女の目にはあの預言者しか映っていない。あの男こそ、娘を救う最後の希望だと思っているから」

突然、阿麻音の目の前で鷹央が大きく両手を鳴らした。猫だましを食らった阿麻音は、切れ長の目を見張る。

「まとめると、責任を感じているお前は、なんとかその預言者が偽物だと証明して羽村佐智の目を覚ましたい。けれど、それができなくて困っているっていうことだな」

「ま、まあ、……そういうことね」阿麻音は躊躇いがちに頷いた。

「それなら、ここに適任者がいるだろ」鷹央は自分を指さす。

「適任者？」

「そうだ。お前がペテン師だって暴いたのは誰だ？」

「……あなたよ」阿麻音は渋い表情になる。

「だろ。なら私に協力しろ。そうしたら私が、その預言者の奇蹟とやらのトリックも解き明かしてやる」

鷹央は阿麻音の前に右手を差し出した。阿麻音はその手を見つめたまま、逡巡《しゅんじゅん》の表情を浮かべる。

「里奈を助けるためだ」

鷹央の言葉に、阿麻音の体が大きく震えた。

「私もお前も里奈を助けたい。そのためには、預言者とやらが偽物だと証明して、羽村佐智の目を覚まさせる必要がある。私たちの利害は一致しているんだ」

鷹央は催促するように右手を振る。阿麻音は歯を食いしばると、その手を乱暴に摑《つか》んだ。

「いいわ、協力してあげる。そのかわり、絶対に里奈ちゃんを助けるのよ」

「もちろんだ」鷹央はにっと唇の端を上げる。「それじゃあ、さっそく情報をくれ。その預言者の起こす奇蹟っていうのは、具体的にはどういうものなんだ？」

鷹央に右手を摑まれたまま、阿麻音は低い声で答えた。

「血の涙、そして掌に現れる十字架、つまりは『聖痕』よ」

2

「……なので、神は預言者を通して私たちにお言葉をさずけ、私たちが進むべき道を指し示すのです」

森下という名の、ローブを纏《まと》った中年の神父の説教を聞きながら、僕は横目で左隣を見る。そこには伊達《だて》メガネをかけ、ウェーブのかかった黒髪をポニーテールにした鷹央が大あくびをしていた。僕は鷹央の脇腹を肘でつつく。

「なにするんだよ」

鷹央は唇を尖らせた。僕は慌《あわ》てて唇の前で人差し指を立てる。

「もう少し小さな声で喋ってください。それに、あくびしないで」

「分かっているよ」鷹央は不満顔でそっぽを向いた。

本当に分かっているのだろうか？　僕は疲労をおぼえてため息をつく。

「恋人のお守り、大変ねえ」

右隣に座る杠阿麻音が耳元で囁《ささや》きかける。耳朶《みみたぶ》に息がかかり、妖《あや》しい震えが背骨に走った。

「……僕と鷹央先生はそういう関係じゃありませんよ」

「あら、違うの？　だって、私の手を捻ったショートカットの子がそうだって」

鴻ノ池のやつ、また適当なことを……。

「あいつの言うことは無視してください。それより、預言者はまだなんですか？」

僕は押し殺した声で話しながら阿麻音を見る。その外見は病棟で見たのと同様に、茶髪のロングヘアーに眼鏡姿で、かなり濃い化粧をしている。先日の記憶が蘇り、下腹部の痛みがぶり返してきた気がした。

阿麻音から話を聞いた三日後の土曜日、午後六時過ぎ、鷹央と僕は預言者が奇蹟を見せるという教会へとやって来ていた。週に二回、水曜と土曜に預言者は教会の礼拝堂に姿を現すということだ。

内輪の集まりであるその会合には、紹介がないと参加できないらしいが、僕たちは(どうやったかは知らないが)すでにそのメンバーの一員になっていた阿麻音の紹介で、潜り込むことが出来ていた。

この会合には、羽村佐智も参加しているということで、鷹央と阿麻音は変装をしている。

それにしてもな……。僕は横目で鷹央を見る。その華奢な体はセーラー服に包まれていた。鷹央に変装用の衣装を頼まれた鴻ノ池が、「絶対に似合いますから！」と目を輝かせて持ってきたものだ。

もう二十八歳だっていうのに年甲斐《としがい》もなく……。まあ、恐ろしいほど似合ってはいるんだけど。セーラー服のせいで普段以上に幼く見える童顔に、軽く混乱して頭を押さえると、僕は説教を続けている森下に意識を向ける。

この集会では、まず参加者全員で賛美歌を歌い、神父が祈りをささげたあと説教がはじまった。これが終わると、最後にくだんの預言者が現れ、奇蹟とやらを見せるらしい。

森下の説教はさすがに本職だけあって聞きやすく、預言者とはどのような存在であるかなどを、宗教に関心がない僕でも興味がそそられるほど巧みに話している。しかし、早く奇蹟を見たくてしょうがない鷹央は、さっきからつまらなそうにあくびを噛み殺していた。

けれど、思ったよりまともな集まりだな。

僕は参加者たちを見回す。百人ほどが入れる礼拝堂は満席だった。備え付けの長椅子だけでは足りなくなり、集会が始まる前に、後ろの壁を開けたところにある小さな倉庫からパイプ椅子を出し、席を作っていたほどだ。

どちらかと言うと年配者が多いが、ちらほらと学生らしき参加者の姿も見える。そのほとんどが、穏やかな表情で神父の話を聞いていた。

預言者の奇蹟などという眉唾《まゆつば》のものが披露される会合なので、もっと怪しい雰囲気が漂っているものだと思っていた。僕はかつて鷹央とともに巻き込まれた事件で目《ま》のあたりにした、新興宗教の儀式を思い起こす。やはり、新興宗教と伝統ある宗教では大きな違いがあるものだ。

僕が感心しているうちに、森下は最後に、自分がはじめて『預言者』に会った際の状況や、そのときにどれほど感動したかを語り、説教を終えた。祭壇の脇に設置された巨大なパイプオルガンが賛美歌を奏《かな》ではじめる。

なんか、こういう雰囲気っていいかも。僕は目を閉じて荘厳《そうごん》な旋律に意識をゆだねる。短い演奏が終わり瞼《まぶた》を上げた僕は、目を見開く。礼拝堂に漂う雰囲気が一変していた。さっきまで穏やかだった参加者たちの目に、こらえきれない期待の光が灯《とも》っていた。

混乱しつつ正面を見た僕は、その原因を見つける。祭壇の脇の扉が開き、その奥に漆黒のローブを着た男が立っていた。

かなり痩《や》せた男だった。頬骨が目立ち、眼窩《がんか》が落ちくぼんでいる。白髪の混じる髪は肩にかかるほどに伸びていて、あごや口周りには長い髭《ひげ》が生えている。五十歳は超えているだろう。

「預言者、天草炎命《あまくさえんめい》先生です」

神父が恭しくこうべを垂れると、男は緩慢な動きで扉から入って来た。参加者たちが前のめりになる。

あれが預言者……。僕は、天草炎命という、いかにもな名前で紹介された男を観察する。髪や髭はいくらか整えられているようだが、第一印象はホームレスにしか見えなかった。

炎命が祭壇の前までやってくると、神父が自分の立っていた場所をごく自然に譲った。立ち止まった炎命がこちらを向く。あたりの空気が参加者たちの期待で膨張していく。

額を冷たい汗が伝った。この雰囲気は知っている。かつて見た新興宗教の儀式の際、教祖である女性が出てきた時と同種のものだ。炎命が姿を現して数十秒で、会場の空気は一変し、危険な色合いを帯びていた。

炎命は両手を緩慢に上げると、額の前で組み、ぶつぶつとつぶやきはじめる。やがて組んでいた両手を胸に当て、深くこうべを垂れた。

僕は乾燥している口の中を舐《な》めながら、隣を窺う。セーラー服姿の鷹央は前のめりになり、頬を上気させていた。一見すると他の参加者と同じように見える。しかし、その猫を彷彿《ほうふつ》させる大きな目に浮かんでいるのは、熱に浮かされたような期待感ではなく、純然たる好奇心だった。僕は視線を正面に戻す。

唐突に炎命は両手を広げ、天を仰いだ。大きく開いた口から、「ああ……」という呻《うめ》きにも似た声が漏れる。やがて、炎命はゆっくりと正面に向き直った。

僕は大きく息を呑《の》む。炎命の両目、そこには涙が溢《あふ》れていた。血のように真っ赤な涙が。参加者たちから大きな歓声が上がった。

赤い涙を流したまま、炎命は突然左手を突き出した。礼拝堂に満ちていた歓声が一瞬で消え去り、耳がおかしくなったのではないかと思うほどの沈黙が下りる。

今度はなにが？　息をひそめていると、突き出された掌に変化が生じはじめた。僕は目を疑う。掌の中心に火傷《やけど》のような赤い点が生じていた。やがて、その点を中心にして左右、そして上下の皮膚も赤く腫《は》れあがりはじめる。さっきを遥《はる》かにしのぐ歓声が沸き上がる。

炎命の掌、そこには十字架が浮かび上がっていた。皮膚に赤く刻まれた十字架が。

「悔い、改めよ。……神の、国は近い」

荒い息をつきながら、切れ切れに言葉を絞りだすと、炎命はうなだれ、その場に崩れ落ちそうになる。一番前の席に座っていた数人の男女が素早く立ち上がり、炎命の体を支える。歓声が消えない中、彼らは祭壇脇の扉に向かって歩きはじめた。

「ちょっと待ってくれ！」

よく通る声が礼拝堂に響き渡った。僕は体を震わせて隣を見る。そこでは声の主、セーラー服姿の鷹央が立ち上がり、左手を高々と上げていた。

「鷹央先生……、なにを……？」

あまりのことに固まっている僕と阿麻音の前を「どけ」と通り過ぎると、鷹央は通路に出て、小走りに炎命に近づいていく。炎命の体を支えていた体格の良い角刈りの中年男が、鷹央の前に立ち塞がった。

「なんの用だ！　炎命先生に近づくな」

「邪魔だ、どけ」

鷹央は虫でも追い払うように手を振る。男の表情が歪み、その頬に赤みが差した。

「ふざけるなよ、ガキが」

男は無造作に鷹央に向かって手を伸ばす。僕は慌てて席から腰を浮かした。

「止《や》めなさい！」

森下神父の鋭い声が響き、鷹央の胸ぐらを掴みかけていた手が動きを止める。森下は男の肩に柔らかく手を置くと、代わりに鷹央の前に立った。

「なんの用ですか、お嬢さん？」森下は微笑を浮かべる。

「この教会の信者は、だいぶ暴力的なんだな。急に掴みかかってきたりして」

『ガキ』とか『お嬢さん』とか呼ばれたことが不満だったのか、鷹央は頬を膨らませる。

「許してください。彼は炎命先生に罪を赦《ゆる》され、救われた者の一人です。だから、炎るんですよ」


命先生を守ろうと必死なんです」

「救われた、か。たしかキリスト教では、赦しを与えられるのは神と、その独り子であるイエス・キリストだけだったはずだ。どんな権限で、その男は罪を赦しているんだ？」

　鷹央は炎命を指さす。

「彼は預言者、つまりは神の代理人です。彼は神の名のもとに人々に赦しを与えているんですよ」

　森下は説教のときと同じように、穏やかな口調で言う。

「血の涙と掌に現れた十字架が、預言者であることを証明しているっていうわけか」

「そう、それらこそ彼が預言者である証《あかし》です」

「なら、私に調べさせてくれ」鷹央は意気揚々と言う。

「調べる？」

「そうだ。その男が起こしたのが本当の奇蹟かどうか、科学的に調べたい。涙の成分を調査して、掌に現れている十字架もじっくり観察したい。なにかのトリックによって現れたものじゃないかを確認するためにな」

　鷹央が「トリック」という言葉を口にした瞬間、礼拝堂の空気がざわりと揺れた。

森下の顔に一瞬、不愉快そうな表情が浮かぶ。そのとき、体を支えられたまま黙り込んでいた炎命が、髭に覆われた口を開いた。

「信仰は、疑いからは、生じない。ただ信じよ。……そうすれば、救われる」

籠《こも》っただみ声を聞いて、鷹央の片側の眉が上がった。

「科学はその逆だ。あらゆるものを疑い、検証したうえで残ったものが真実だ。だから、私はお前に起こった現象を調べたい。それが『奇蹟』じゃなく、『手品』ではないか検証するためにな」

鷹央と炎命の視線がぶつかる。森下は慌てて二人の間に割り込んだ。

「調べる必要なんてありません。炎命先生が預言者であることは、紛れもない事実ですから。奇蹟を見て、神への信仰を確認する。それこそが大切なことなのです」

諭すような口調で言う森下の顔を、鷹央は不思議そうに覗き込む。

「もしかして、お前、『信仰』に迷っているんじゃないか？」

「何を言って……」森下の顔に、明らかな動揺が走った。

「だって、揺るがない信仰があるなら、奇蹟なんていう分かりやすいパフォーマンスなんて必要ないだろ。信仰に綻《ほころ》びがあるからこそ、奇蹟を見ることで神の存在を確認しようとしているんじゃないか」

森下の頰に赤みが差す。見ると、呆然《ぼうぜん》と事態を見守っていた参加者たちの顔にも、怒りの色が浮かびはじめていた。

これ以上は危険だ。僕は席を立つと、小走りに鷹央に近づいていく。

鷹央は何の悪気もないのだろう。しかし、その言葉は神父の、そして参加者たちの心の、いちばん柔らかいところを容赦なく抉《えぐ》っている。

「……出て行きなさい」森下は声を絞り出す。

「その男を調べさせてくれたらすぐに出て行くって。だから、さっさと……」

そこまで言った鷹央を、僕は羽交い締めにする。

「なっ？ おい、何するんだ⁉」鷹央は激しく身をよじった。

「大人しくしてください。逃げますよ」

「なに言っているんだ、まだあの男を調べていないだろ！」

鷹央は暴れながら炎命を指さす。僕の背中に冷たい震えが走った。血の涙が溢れる炎命の目は爛々《らんらん》と輝いていた。おそらくは、怒りと憎悪《ぞうお》で。

僕はまだ騒ぎ立てる鷹央を強引に引きずって後方の扉から礼拝堂をあとにすると、そのまま廊下を通過して教会を出る。

「なにやってるんだ！ せっかく『奇蹟』について調べるチャンスだったのに！」

教会の入り口付近で手を放すと、鷹央は声を荒らげた。

「先生こそなんてことをするんですか⁉ 下手したら、あの場で袋叩きにあっていましたよ」

「袋叩き？　なんでだ？」鷹央は眉をひそめる。

「今日の参加者たちにとって、あの天草炎命とかいう男は、文字通り『神の使い』なんですよ。それを偽物だって言ったら、怒るのも当然でしょ」

「私は偽物だなんていっていない。その可能性があるから、調べさせてくれって言っただけだ」

「それでも、参加者たちにとっては同じなんですよ。自分たちの信仰の対象を侮辱されたと感じたんです」

　僕はため息交じりに説明する。いまいちピンとこないのか、鷹央はいまだに憮然《ぶぜん》とした表情を浮かべていた。

「いくらなんでも、袋叩きはないだろ。ここはカトリックの教会だぞ。隣人を愛することを説くキリスト教で、そんなことするはずが……」

「いえ、十分にあり得ます」僕は鷹央の言葉を遮る。「この集会はもう、キリスト教の教えを完全に逸脱しています。あの預言者を教祖にした新興宗教になりかけています。きっと参加者の中には、天草炎命が命じればどんなことでもする人たちがいます。……どんな危険なことも」

　数秒の沈黙のあと、鷹央は「そうか、分かった」と頷いた。自らが空気を読む能力に欠けていることを自覚している鷹央は最近、雰囲気などに関する僕のアドバイスには比較的素直に従ってくれるようになっていた。

「しかし、そうなると今後、あの預言者に近づくのは難しいな」

鷹央は入り口の脇にある『† 田無保谷カトリック教会』と記されたプレートに触れながらつぶやいた。

「まったくよ。困ったことをしてくれたわね」

背後から声が響く。振り返ると、阿麻音が呆れ顔で立っていた。

「集会はめちゃくちゃ、参加者たちは中でまだざわついているわよ。あなたたちを紹介した私の面子《メンツ》も丸つぶれ。下手に責められる前に、裏口から逃げてきちゃった」

「奇蹟について調べるためには、あの男に近づく必要があったんだよ」

鷹央は口を尖らせる。

「それにしたって、もっとやりようがあるでしょ。前々から変わった子だと思っていたけど、ここまで空気が読めないなんて」

阿麻音がこれ見よがしにため息をついたとき、扉が開いた。

「天久《あめく》鷹央先生……ですよね」

中から中年の女が出てきた。たしか、さっきの集会で最前列に陣取り、炎命の体を支えていた一人だ。

「な、なんのことだ……。私は、そ、そんな名前じゃ、ないぞ」

露骨に上ずった声で鷹央は言う。僕は片手で目元を覆った。

「誤魔化さないでください。変装してもすぐに分かりました。先生の言動は、なんというか……独特ですから」

鷹央は「完璧な変装だったのに……」とぶつぶつ言いながら伊達メガネを外す。

「あの、こちらの方は」

僕が訊ねると、鷹央は「羽村佐智、里奈の母親だよ」とポニーテールにしている髪をいじった。

この人が骨髄移植を拒否している母親か。僕は目の前に立つ女性を観察する。化粧っ気は薄く、体はやけに瘦せていた。目の下には濃い隈《くま》が浮かび、全身から幸薄げな雰囲気が漂っている。

家族に次々と先立たれ、唯一残された娘が白血病に冒されている。その過酷な運命が、こんな負のオーラを彼女に纏わせているんだろう。

この人が羽村佐智だとしたら、阿麻音とも顔見知りのはず。そう思って背後を見ると、そこには誰もいなかった。佐智が出てきたのを見て、とっさに姿を消したのだろう。相変わらずの逃げ足だ。

「お久しぶりです、天久先生。最後にお会いしたのは三年前……、里奈が最初に入院していたときでしたね」

佐智は抑揚のない口調で言う。

「ああ、そうだな」鷹央はあごを引く。

「なんで炎命先生の集会に参加しているんですか？　なんで炎命先生にあんな失礼なことを？」

「さっきも言っただろ。あの男の奇蹟について調べるためだ」

「炎命先生が偽物だと証明して、里奈に骨髄移植を受けさせようっていうんですか？　そう熊川先生に依頼されたんですか？」

佐智は図星をさしてくる。鷹央は一瞬の沈黙ののち、「ああ、そうだ」と頷いた。

「骨髄移植はしません。もう決めたんです」佐智の声に怒りの色が滲む。

「移植を受けるかどうかの決定には、あと一週間以上猶予《ゆうよ》がある。冷静に考えてから決めるべきだ。その判断をするためにはなにより、正しい情報が必要だ」

「余計なお世話です！」

突然、佐智は甲高い声で叫んだ。聴覚過敏の気がある鷹央は、全身を硬直させる。

「何が正しい情報よ。偉そうなこと言って、里奈の病気も治せないくせに」

「……残念ながら百パーセントの治療はない。小児の白血病は治癒率が高いが、それでも一定数助からない症例はある。けれど、里奈は骨髄移植さえ受ければ……」

「絶対に助かるっていうんですか？」佐智は嚙みつくように言う。

「……絶対じゃない。移植を受けてもその後に再発をして……、命を失う可能性もある。ただ治癒する確率は……」

鷹央は律儀《りちぎ》に細かい数値を口にしようとする。しかし、佐智はヒステリックにかぶりを振った。

「確率なんてどうでもいいんです。治るか治らないか、二つに一つなの。これまで医者の勧めどおりに治療を受けてきた。そうすれば、完治する可能性が高いって言われて。でも、あの子はいまも治っていない」

「最初の治療をはじめるときにちゃんと説明したはずだ。寛解に至っても、そこから再発する場合もあるって」

鷹央は正論を述べる。けれど、いまの佐智に正論など届かないことは明らかだった。

「そんなことどうでもいいんです。あなたたちと違って、炎命先生は断言してくれた。里奈の病気は治るって。……そして、もし骨髄移植を受けたら、間違いなく里奈は死ぬとも」

「待ってくれ。医学的にそれは間違って……」

「医学なんて関係ないの！」

佐智の鋭い視線が鷹央を射抜く。鷹央は口をつぐんだ。

「医学なんて関係ない。あの人が助かるって言ってくれるんだから、絶対に里奈は助かる。あなたたちも奇蹟を見たでしょ。絶対に炎命先生なら治せるはずなの……」

自らに言い聞かせるような佐智を見て、僕は気づく。彼女自身も百パーセント、天草炎命を信じているわけではないことを。胸の中には、とんでもない愚行を冒しているのではないかという不安が巣くっているのだろう。しかし、それでも彼女はあの預言者に縋《すが》っている。

鷹央が何か言おうと口を開きかける。その気配を察したのか、佐智が両手で耳を塞いだ。

「お願いだから、もうやめて。私は炎命先生を信じることに決めたの。これ以上、治療で里奈が苦しむのを見ていられない。もう、あの子につらい思いをさせたくないの」

「でも、私は里奈を助けたくて……。里奈のためを思って……」

弱々しい声でつぶやいた鷹央を、佐智は充血した目で睨んだ。

「里奈のため？　自分のためじゃないですか？　さっき森下神父と話しているときのあなたは、……楽しそうでした。たんに炎命先生のことを好奇心で調べたいだけなんでしょ。本当は全部、自分の興味のためにやっているんでしょ」

反論できずに固まる鷹央に向かって、佐智は冷たく言い放った。

「これ以上、私たちに構わないでください。……迷惑だから」

「そうか、佐智さんはそこまでその預言者に入れ込んでいるのか」

椅子に腰掛けた熊川は、太い腕を組む。

「でも、迷惑ってことはないじゃないですか。里奈ちゃんを助けるためにやっているのに」

熊川の隣に座る鴻ノ池が、頬を膨らませた。

田無保谷カトリック教会から天医会総合病院に戻った僕たちは、十階にある統括診断部の外来で経過を報告していた。

「佐智さんにとって、骨髄移植を受けないという決断を迷わせることが、迷惑だと感じるんだろうな」僕は凝った首筋を揉《も》む。

「でも、骨髄移植を受けないと、里奈ちゃんは亡くなるんですよ！」

「佐智さんは移植を受けなくても治ると信じているんだよ」

「なに言っているんですか！　そんなの間違っています！」

鴻ノ池は頬を紅潮させながら僕を睨む。

「僕に言っても仕方ないだろ。そもそも、なんでお前まで参加しているんだよ。いまは皮膚科を回っているんだろ」

「だから、皮膚科はあんまり仕事がなくて暇なんですよ。それに、里奈ちゃんをどうにか助けたいじゃないですか」

「まあ、たしかに。そもそも、宗教なんかで治療法を決めるのは問題あるしな」

僕は後頭部で両手を組むと、椅子の背もたれに体重をかける。

「……宗教は『なんか』で片づけられるものじゃないぞ」

ずっと黙り込んでいた鷹央が、押し殺した声でつぶやく。僕は「どういうことですか？」と鷹央を見る。

「日本にいるとあまり意識しないが、宗教というのは個人の行動原理に深くかかわるものだ。どのように生き、そしてどのように死ぬべきなのか、つまりは死生観の指針と言ってもいい。だからこそ、個人の信教の自由は尊重されるべきなんだ」

鷹央は抑揚のない口調で言う。

「いや、そうかもしれませんけど、神様のお告げで治療法を決めるなんて、馬鹿《ばか》らしくないですか。そもそも神様なんて……」

そこまで言ったところで、鷹央の冷たい視線に気づき、僕は口をつぐんだ。

「神という言葉は、様々な概念を含んでいるので、その存在の有無を論じることにあまり意味はない。ただキリスト教をはじめとした一神教では多くの場合、神は『この世を作り出した全知全能の存在』とされている」

鷹央は天井を見上げながら話し続ける。

「宇宙が誕生し、いつしかこの地球という惑星ができあがり、原始生物が発生し、それが長い年月をかけて進化して人間が生まれた結果、私たちがここにいる。その一連の流れに『誰か』の意思が働いているのかどうか。つまり、我々人間という存在が単なる偶然の結果に生じたものなのか、それとも何者かの意思により生み出されたものなのか。それはいまの科学では解明できないものだ」

「何者か……」鷹央の説明に圧倒されつつ、僕はつぶやく。

「ああ、その存在は神、またはサムシング・グレートとも呼ばれる」

サムシング・グレート。偉大なる何か……。あまりにも大きな話に、僕は頭を軽く振る。

「そもそも、進化論自体が完全に正しいと言い切れるものでもないんだ。類人猿と人間をつなぐ中間の存在、すなわちミッシング・リンクはまだ見つかっていない。それに、進化論では説明がつかない現象も少なくない。例えば、キリンの脳には……」

少し話をしたことで舌の滑りがよくなったのか、いつものように蘊蓄《うんちく》を垂れ流しはじめた鷹央を、熊川が「ストップストップ」と止める。

「なんだよ」

話を遮られた鷹央は不満げに眉根を寄せた。

「進化論の話はいつかゆっくり聞くから、いまはまず、里奈ちゃんについて話し合おう」

　鷹央は二度三度まばたきをすると、「ああ、そうだな」と暗い表情に戻る。

「鷹央ちゃんの言う通り、個人の宗教観、そして死生観は尊重されるべきだ。それによる治療拒否も、しっかりとしたインフォームドコンセントのうえなら受け入れないといけない。その結果、病状が悪化するとしてもね。ただ、今回はそう単純じゃない」

「治療拒否しているのが患者本人ではなく、その保護者だという点ですね」

　僕の指摘に、熊川は頷いた。

「ああ、そうだ。原則的に未成年者の治療には、保護者の同意が必要だ。けれど、今回の場合は……」

「あっ、そうだ」鴻ノ池が両手を合わせる。「たしか、宗教上の理由で重症の子供の緊急処置を拒否した親が、裁判所に虐待の一種、医療ネグレクトだって判断されて、一時的に親権停止になったことがありませんでした？　その結果、子供は治療を受けて助かったとか」

「あるね。ただ、今回は難しいな。たしかに里奈ちゃんの白血病が治癒するには骨髄移植が必要だ。けれど、それはかなりの負担を伴う処置だ。しかも、移植をしたからといって、百パーセント治癒するわけじゃない。移植のダメージで寿命が縮む可能性も否定できない」

熊川は辛そうに説明していく。

「治療を諦め、緩和医療に移行するのも絶対に間違いとはいえないんだ。この状態で、裁判所が親権の停止を認めるとは思えない」

熊川は重いため息をついた。部屋に沈黙が下りる。

「でも、やっぱりこんなのおかしいですよ！　預言者が里奈ちゃんの治療を決めるなんて。鷹央先生、なんとかならないんですか？」

鴻ノ池は興奮気味に立ち上がるが、鷹央は反応しない。鴻ノ池がもう一度「鷹央先生」と声をかけると、鷹央は気怠《けだる》そうに口を開いた。

「……私は、部外者だ。たしかに、今回の件に口を出すのは間違っているのかもしれない」

弱気な鷹央のセリフを聞いて、鴻ノ池の表情が歪む。普段から鷹央を尊敬し、先日は殺人犯として逮捕されかけたところを救われている鴻ノ池にとって、こんな弱々しい鷹央の姿を見るのは悔しいのだろう。

「……失礼します」

鴻ノ池は身を翻《ひるがえ》すと、診察室をあとにした。それを見て、熊川もゆっくりと立ち上がる。

「ごめんな、鷹央ちゃん。おかしなことに巻き込んじゃって。あとはこっちに任せてくれ。なんとか佐智さんを説得してみるよ。……難しいとは思うけどね」

熊川も部屋から出て行き、僕と鷹央だけが残された。

「えっと……、とりあえず屋上に戻りましょう。疲れたでしょ」

声をかけると、うなだれた鷹央は小さく「……うん」と答えた。

鷹央とともに屋上の〝家〟にたどり着いた僕は、玄関扉を開く。鷹央は無言のまま自宅に入ると、〝本の樹《き》〟の間を通って、部屋の中心に鎮座するグランドピアノに近づき、その上に置かれたニューヨークヤンキースの野球帽に手を伸ばした。それは数ヶ月前、白血病で短い生涯を終えた少年、三木健太の形見だった。

「……なあ、小鳥」鷹央が蚊の鳴くような声でつぶやく。「私さ、今回の件を聞いたとき、健太のことを思い出していたんだ」

「……そうですか」

「なんかさ、もし羽村里奈に骨髄移植を受けさせることができて、その結果、白血病が治せたら、健太への弔いになる気がしたんだ。……馬鹿だよな、全然関係ないのにさ」

鷹央の口調には、痛々しいまでの自虐が込められていた。

「……私は健太にひどいことをした」

「なに言っているんですか⁉　そんなことないですよ」

　僕は慌てて言う。ずっと鷹央に会いたがっていた三木健太。彼の命が尽きようとしていたとき、鷹央はその望みをかなえた。健太はきっと鷹央に感謝していたはずだ。

「いや、私はもっと早く健太に会ってあげるべきだったんだ。もっとあいつと話をしてやるべきだったんだ。それなのに、私は……逃げてしまった」

　鷹央は野球帽を強く握る。

「里奈を救うことで、その償いが出来るような気がしていた。きっと、自分の気持ちを楽にしたかったんだ。それに、あの奇蹟がどうやって起こっているのか、純粋に興味もあった。たしかに私は、自分のために羽村佐智の気持ちを踏みにじったんだ」

「どんな気持ちでやったにしろ、鷹央先生の行動は間違っていませんよ。預言者なんかのアドバイスで、娘の治療方針を決めるなんておかしいです」

「そんなことない」鷹央は力なく首を横に振る。「さっきも言っただろ。宗教は基本的に尊重されるべきものだ。たとえ、それが他人から見ればおかしなものであってもな。骨髄移植を受けた方がいいのか、それとも受けない方がいいのか、それはやってみないと分からない。悩みぬいた結果、母親である羽村佐智が下した決断に、主治医の熊川ならともかく、部外者である私が口を出すべきではなかったんだ」

　鷹央は野球帽をグランドピアノの上に戻す。

「……先生は今回の件、解決できないんですか？」

僕が静かに訊ねると、鷹央は数秒の沈黙のあとに答えた。

「難しいな……」

この人ですら分からないのか。僕は教会で見た奇蹟を思い出す。血の涙と掌に浮き上がる十字架、たしかにどうやったらあんなことが可能なのか想像がつかなかった。

「先生、とりあえず今日はゆっくり寝て休んでください」

僕が声をかけると、鷹央は珍しく素直に「うん」と頷き、部屋の奥にある扉に向かっていく。鷹央の寝室に繋《つな》がる『禁断の扉』だ（「中を見たら殺す」と鷹央に警告されている）。

扉の奥に鷹央が消えるのを確認すると、僕は〝家〟を出た。

春だというのに屋上を走る風は冷たかった。体を小さくしながら、〝家〟の裏手に向かう。

自分のデスクがあるプレハブ小屋に入ると、椅子に腰掛け、ジーンズのポケットからスマートフォンを取り出す。液晶画面を見ると、十回以上の着信があった。教会の集会に参加するときにマナーモードにしていたので、着信に気づかなかった。

着信履歴を確認すると、そこには０９０からはじまる知らない番号が並んでいた。

誰からの着信だ？　不吉な予感をおぼえながら、その番号にコールバックをする。

すぐに電話は繋がった。

『ああ、よかった。やっと連絡取れた』聞き覚えのある女の声が響く。

「あの、どなたですか？」

『なに言ってるの。阿麻音よ。杠阿麻音』

「阿麻音さん？　え？　なんで僕の携帯番号を？」

『あの小さな先生が教えてくれたけど。なにかあったらこの番号に電話しろって』

詐欺師に電話番号を教えるなんて……。僕は窓の外に建つ鷹央の〝家〟に湿った視線を送る。その時、建物の陰で何かが動いた気がした。

『ちょっと、聞いているの？　あれ、切れちゃった？　おーい』

阿麻音の声が響く。僕は慌てて「あっ、聞いてます」と意識を会話に戻す。

『ちゃんと相槌くらいうってよね。まったく、何度も電話していたのに、なんで出なかったのよ』

「集会の前にマナーモードにして、そのままだったんですよ。阿麻音さんこそ、急に姿を消したでしょ」

『しかたがないじゃない。まさか、佐智さんが出て来るとは思わなかったんだから。今日は軽く変装していただけだから、近くでまじまじと見られたら気づかれるかもって思ったのよ。もっとしっかり変装しておくべきだった』

「それで、結局なんで電話してきたんですか？　用事がないなら切りますよ」

いまは他人の愚痴を聞くような気分ではなかった。

『あなた、小さい先生と一緒にいる？』

「鷹央先生ですか？　まあ一緒と言えば一緒ですけど……」

スマートフォンから『ああ、よかった』と安堵《あんど》の声が聞こえる。

「よかったって、どういうことですか？」

『集会の最後に、小さい先生に摑みかかった男いたでしょ』

「ああ、あの大男」

『田山《たやま》って名前で、天草炎命の側近……、というか熱烈な信奉者の一人ね。一度だけ話したことあるんだけど、あいつ、やばいわよ』

「やばい？」

『ええ、元暴力団員でそれなりに長期の服役経験あり。あと、格闘技もやっている。たぶん、ボクシングね』

「なんでそこまで知っているんですか？　一度話しただけなんですよね？」

『私のコールドリーディングを知っているでしょ。一度話せば、相手の過去なんて手に取るように分かるわよ』

阿麻音の得意げな顔が見える気がした。

「ああ、その能力を使って詐欺師をやっているんでしたね。けど、そんな危険な経歴の男が教会にいていいものなんですか？」

『教会っていうのは、救いを求める人は無条件に受け入れる場所だからね。過去にどんな罪を犯した人間がいようが、別に不思議じゃないでしょ。いや、やばいっていうのは、田山の経歴のことじゃないのよ』

「どういう意味ですか？」

『あの男にとって、炎命はまさに「神」そのものなのよ。そのくらい心酔している。けれど今日、あなたの上司が……』

「……その『神』を侮辱した」

『そう。小さな先生にそのつもりはなかったかもしれないけれど、あの会合の参加者たち、特に熱心な信奉者たちは侮辱だと感じたでしょうね。だからこそ、佐智さんは怒ってあなたたちに抗議した。けど、田山は抗議なんかじゃすまない』

「鷹央先生に危害を加えるかもしれないってことですか？」

『かもしれない、なんてもんじゃない。あの男は、絶対にあなたの上司を襲う。下手すれば、……殺そうとするかもしれない』

僕は「そんな馬鹿な」と笑い飛ばそうとする。しかし、その声は自分でもおかしいほどに、かすれていた。

『笑い事じゃないわよ。言ったでしょ、田山にとって炎命は「神」だって。あの男は「殉教者」になる覚悟がある。この私が言うんだから絶対にそう』

「そんな……」

『とりあえず、小さな先生をどこか安全なところに避難させなさい。いますぐに』

「いますぐって、そんなに急がなくても」

僕が頬を引きつらせると、阿麻音の『ああ、やっぱり』という声が聞こえてきた。

『気づいていなかったのね。教会を出たあと田山に尾《つ》けられていたわよ』

背骨に冷水を注ぎ込まれた心地がした。僕はスマートフォンを落としかける。

「そ、そんなわけ……」

『間違いないわよ。バイクであなたたちの後を追った田山を、この目で見たんだから。だから、さっきから何度も電話していたの。けど、まだ襲われていなかったのは、不幸中の幸い……』

そこまで聞いたところで、僕はスマートフォンを放り捨て、プレハブ小屋から出る。

さっき〝家〟の陰に見えたもの。あれが気のせいでなかったとしたら……。全身の汗腺《かんせん》から氷のように冷たい汗が滲み出す。

〝家〟の正面に回り込んだ僕は、玄関先に置かれている小さなプランターが倒れていることに気づいた。さっき玄関から出たときには、こんなことにはなっていなかった。

歯を食いしばった僕は、ノブを摑むと一気に扉を開き、室内へと飛び込んだ。間接照明が灯る薄暗い部屋、無数に立ち並ぶ〝本の樹〟の向こう側に人影が見えた。鷹央ではない。身長一八〇センチ、体重七五キロの僕に勝るとも劣らない体格を持つ男のシルエット。

男は身をかがめて、グランドピアノの下を覗き込んでいる。

僕は細く安堵の息を吐く。あんなところを探しているということは、まだ鷹央を見つけてはいないのだろう。なんとか間に合ったようだ。

男は曲げていた背中を伸ばすと、振り返って僕を見る。間違いなく、教会で鷹央に摑みかかった男、田山だった。その手に握られているものを見て、全身が硬直する。刃渡り二十センチはありそうな無骨なサバイバルナイフが、間接照明の明かりを妖《あや》しく反射していた。

「……あの女と一緒にいた男だな」

田山の声は地の底から響いてくるかのようだった。

「え、ええ、そうです。さっきの教会にいた人ですよね。なんのご用でしょうか?」

僕は刺激しないように、両手を前に差し出しながら、ゆっくりとした口調で言う。

「あの女はどこにいる。……炎命先生を侮辱した、あの女だ」

「あ、えっと……。あの人ならもう自宅に帰りました。ここから少し離れたところに住んでいるんです」

僕は必死に頭を働かせて、なんとか田山を追い払う方法を考える。

「嘘《うそ》をつけ。さっき写真を見せて、この病院の職員に聞いたんだ。そうしたら、ここに住んでいるって教えてくれた。天久鷹央とかいう名前らしいな。しかし、まさか医者だったとはな」

田山はジャケットのポケットからスマートフォンを取り出す。その液晶画面には、セーラー服姿の鷹央と僕が写っていた。どうやら、教会で騒ぎを起こした際に撮影されたらしい。

「いや、たしかにここは鷹央先生の自宅だけど、あの人はいま、用事で外出しているんですよ」

「馬鹿かお前」田山は分厚い唇の端を上げる。「あの女がまだ無事だとでも思っているのか」

心臓が大きく跳ねる。僕は反射的に鷹央の寝室へと続く扉を横目で見た。田山の顔に笑みが広がっていく。

「その部屋か」

かまをかけられたことに気づき、僕は唇を強く噛んだ。単純な自分に心底腹が立つ。

「……なんで鷹央先生を狙《ねら》うんだ？」

「炎命先生を侮辱したからだ」田山は即答した。

「べつに侮辱したつもりはないんだ。あの人はただ、好奇心が旺盛《おうせい》なだけなんだ」

「関係ない。あの女は炎命先生の奇蹟をトリックだと言った。そんなことは絶対に許せない。絶対にだ！」

田山の瞳《ひとみ》の奥に炎が揺れた気がした。僕は気づく。もはや、この男に説得は通じないことを。

けれど……。僕はあごを引いて田山を見る。いくらなんでも、怒りをおぼえただけで刃物を持って乗り込んではこないはずだ。いきなり、こんな行動に出た理由は……。

「あの預言者が指示したのか……」

僕がつぶやくと、田山の表情に一瞬動揺が走った。

「……なんのことだ」

「天草炎命が鷹央先生を襲えってあなたに言った。崇拝する預言者の指示だからこそ、あなたはこんな大それたことを実行に移した。そうでしょ?」

「……炎命先生はなにもおっしゃっていない」

なにも言っていない。けれど、態度でそれとなく指示を出した。そういうことなのだろう。

「田山さんでしたよね、とりあえず落ち着いて話し合いましょう。僕たちはもう二度と、あの教会に近付いたりしませんから」

僕は両手を胸の前に出しながら、すり足で田山に近づいていく。

「そんなことは関係ない。あの女には償いをしてもらう」

「天草炎命先生ですか。あの奇蹟、素晴らしかったです。感動しました。たしかにあの人は預言者だ」

僕はじわじわと近づきつつ、炎命を持ち上げてみる。田山の表情がかすかに緩んだ気がした。

「そうだ。あの方は素晴らしいんだ。俺はあの方に赦していただいて、救われたんだ」

「僕もあの方のお話をもっと聞きたいんです。その場合どうしたら……」

話を合わせつつ、僕は田山から二メートルほどの距離まで接近した。目の前には、腰ぐらいの高さの〝本の樹〟が生えている。僕は田山に気づかれないように重心を落としていく。

「炎命先生の話を聞きたいという奴《やつ》らが増えすぎて、最近は対応が……」

田山がそう言うと同時に、僕は小さく左足を踏み込むと、腰を捻りつつ右足を上げる。足元にあった〝本の樹〟をなぎ倒しながら繰り出された中段回し蹴りが、田山の右手を払った。サバイバルナイフが宙を舞い、ソファーの奥に落ちる。

「っ⁉　てめえ！」

田山が怒りの声を上げながら殴りかかって来た。僕は慌てて両手を上げて顔を守る。ガードの上から右フックが叩きつけられ、痺《しび》れるような痛みが腕に走った。体重がある分、パンチの威力も強い。

突きを返そうとガードを開けた瞬間、両手の隙間《すきま》からジャブが滑り込んできた。目の前に火花が飛び、僕は後方にバランスを崩す。倒れた〝本の樹〟を踏み越えた田山が、追撃をかけようと右の拳《こぶし》を振りかぶった。

僕はとっさに膝を抱え込むように右足を上げると、前蹴りを放った。鼻先を右フックがかすめると同時に、僕のつま先が田山のみぞおち、水月《すいげつ》と呼ばれる急所にめり込む。田山は踏まれたカエルのような声を上げると、〝本の樹〟をなぎ倒しながら後方に倒れた。

あとで鷹央先生に文句言われそうだな。そんなことを考えながら、僕は田山に近づいていく。田山はこちらに背中を見せながら丸まり、うめき声を上げていた。カウンターで急所を抉られたのだ。かなりのダメージだろう。いまのうちに拘束しなくては。

僕が手を伸ばした瞬間、田山は勢いよく振り向いた。きらりと光が煌《きら》めき、腕に鋭い痛みが走る。反射的に後ずさった僕は右腕を見る。ジャケットが破れ、その下の皮膚が大きく切り裂かれていた。

右手に小ぶりなナイフを持った田山が、飛びかかってくる。

予備のナイフを持っていたのか。僕は大きく振りかぶった田山の右手に集中する。距離を詰めてナイフを持つ手を左前腕で跳ね上げ、返す刀で右肘をあごに叩き込む。大学時代、毎日のように行った空手部の稽古《けいこ》が、そして鷹央とともに行動するようになってから何度も巻き込まれた修羅場の経験が、考える前に体を動かしていた。

僕は床を蹴って一瞬で間合いを詰める。この距離ならナイフを無効化できる。そう思った瞬間、田山は振り下ろしていた右手を引いた。

「え？」

呆《ほう》けた声を漏らすと同時にこめかみに衝撃が走る。

いったいなにが……？　膝から倒れながら顔を上げると、田山が左のパンチを振りぬいた体勢で立っていた。右手の動きをフェイントに、左フックを叩き込まれたことに僕は気づく。

慌てて立ち上がろうとするが、足に力が入らず、脇にあった〝本の樹〟に倒れこんでしまう。

僕を見下ろした田山は、両手で腹を押さえ、大きくえずいた。やはり、前蹴りはかなりのダメージを与えていたらしい。

ジャケットの裾《すそ》で口元を拭《ぬぐ》った田山は、倒れている僕に一瞥をくれると、部屋の奥に向かう。

「待て、どこに行く気だ！　お前の相手は僕だろ！」

「お前なんかに興味はない。用があるのはあの女だけだ」

振り返ることもなく、田山は寝室へと続く扉に近づいていく。

「やめろ！　あの人に手を出すな」

僕は唇を力いっぱい嚙む。犬歯が薄い唇の皮を破った。鋭い痛みが、断線していた神経を一瞬だけ繋げてくれる。

僕は必死に立ち上がると、ぶるぶると震える足に活を入れながら田山に向かっていく。田山の手がドアノブを摑んだ。次の瞬間、田山の全身が硬直した。大きく開いた口から、「あああああ……」と悲鳴じみた声が上がる。飛びかかろうとしていた僕は足を止め、目の前で細かく痙攣《けいれん》する大男を呆然と眺める。

数秒間、奇声を上げ続けたあと、田山は糸が切れた操り人形のようにその場に崩れ落ちた。

「なに……これ……？」

棒立ちになっていると、扉が開き、中から手術着姿の鷹央が顔を出した。

「成功したみたいだな」

つまらなそうにつぶやいた鷹央は、室内を見回して顔をしかめる。

「なんだよ、本が倒れまくっているじゃないか！　ちゃんと分類してあったのに！　元に戻すの大変なんだぞ！」

「あの、鷹央先生……」僕はおずおずと声をかける。「この人、なんで倒れたんですか？」

「ああ、これだ」

扉から出てきた鷹央は、気怠そうに無骨な直方体の機器を掲げる。その先端には、小さな金属製の突起が二つ付いていた。

「もしかしてそれって」

「スタンガンだ。護身用に常備していた。お前たちのやり取りが聞こえたから、内側からこれをドアノブに当てていたんだ」

「なるほど、それで……」

だらしなく開いた口の端からよだれを垂らしている田山を、僕は見下ろす。

「面倒だが、警察を呼んで逮捕してもらうか」

ウェーブのかかった髪をぼりぼりと掻きながら、鷹央がつぶやいた。

「そうですね」と答えた僕はふとあることに気づき、鷹央を見る。

「あの、先生を助けようとした僕がドアを開ける可能性もあったんじゃ……」

鷹央は不思議そうに目をしばたたかせた。

「問題ないだろ。私の寝室に入ろうとする男は、誰であろうと悪だ」

3

「……疲れましたね」

翌日、日曜の午前九時すぎ、屋上の扉を開けながら、僕は隣に立つ鷹央に声をかける。しかし、鷹央は硬い表情のまま返事をしなかった。

鷹央のスタンガン攻撃によって昏倒《こんとう》した田山は、駆けつけた警察官によって住居侵入の現行犯で逮捕された。その後、鑑識が乗り込んできて、かなりの時間をかけて室内の撮影、ナイフ等の証拠品の押収《おうしゅう》、さらには指紋の採取などを行った。日付が変わろうという時間に鑑識が引き上げはじめ、ようやく解放されるかと思いきや、今度は田無署に連れていかれて事情聴取されることになった。

ちなみに、僕の聴取を行ったのは顔見知りの成瀬《なるせ》刑事だった。

「またトラブルに首を突っ込んで」「今度はなにをやらかしたんですか?」

厭味《いやみ》ったらしく訊ねてくる成瀬に辟易《へきえき》しながら、僕は起こったことを事細かに説明し、解放されるころには、すでに夜が明けていた。

そうこうして、この時間になってやっと、同様に事情聴取を終えた鷹央とともに、天医会総合病院の屋上に戻ってくることができたのだ。

鷹央は屋上に出ると、枷《かせ》がつけられているかのように重い足取りで〝家〟に向かっていく。その背中はいつもよりさらに小さく見えた。

田無署からのタクシーの中で、僕たちはほとんど会話を交わさなかった。鷹央の暗い表情が、声をかけることを躊躇わせていた。

やはり、〝家〟に侵入されたことがショックだったのだろうか？　なんとか撃退することができたが、最悪の事態になった可能性もあった。衝撃を受けるのも当然だ。

僕は鷹央の後を追って屋上を歩いていく。〝家〟の玄関扉をあけた鷹央は、そこで立ち止まった。

「……ひどいですね」

僕と田山が格闘したせいで、多くの〝本の樹〟が倒れている。これを元に戻すのはかなりの労力が必要だろう。

鷹央は無言のまま部屋の奥に進むと、床が見えないほどに散乱している本を手に取っていく。どうやら、〝本の樹〟を積み直すつもりらしい。緩慢な動きで本を拾っては脇に挟んでいく姿には哀愁が漂っていた。

「あの、僕が倒したんですから、手伝いますよ」

「……いい、自分でやる」

「けれど、これを全部直すとなると、何時間もかかりそうだし……。とりあえず、今日は真鶴さんの家に行って、休んだらどうですか?」

昨夜、鷹央の姉である天久真鶴は、事件を聞きつけ真っ青な顔で屋上に駆けつけた。鷹央が無事なことを知って一時は安堵の表情を浮かべた真鶴だったが、「また同じようなことがあったら大変」と、当分の間は自分のマンションに泊まるように鷹央に提案してきた。

そのあとすぐに、事情聴取のために田無署に向かうことになったので結論は出ていないが、たしかにそれが一番いいかもしれない。

成瀬から聞いた話によると、田山は鷹央に危害を加えるために〝家〟に侵入したことについては認めているものの、天草炎命の指示については明確に否定しているということだった。家宅侵入に銃刀法違反、僕に対する傷害罪、場合によっては殺人未遂も視野に捜査を進めていくらしい。少なくとも保釈されるようなことはなく、このまま拘束されてそれなりに長い実刑判決を受けるだろうということだった。

田無署をあとにする際、成瀬は「これは余談ですけど」と言って、田山の過去についても教えてくれた。それによると、田山は阿麻音の読み通り元暴力団員だった。十数年前、暴力団同士の抗争の際に、敵対する組の幹部に重傷を負わせたが、その報復として自宅に発砲を受け、小学生の息子が流れ弾に当たって死亡しているとのことだった。

自らのせいで幼い息子が命を落とした。それが、田山が背負っていた『罪』だったのだろう。それを天草炎命は赦すと言った。だからこそ、田山はあそこまでしたのだ。田山にしても佐智にしても、炎命は相手の最も弱い部分に付け込んで、その行動を縛っている。彼らにとって、もはや炎命を信じる以外に救われる道は残されていないのだろう。

僕は唇を噛む。田山の襲撃の心配はもはやないが、ここが安全だと断言することはできなかった。本人は否定しているが、田山は天草炎命の無言の指示を読み取り、あんな行動に出た可能性が高い。今後も、他の信奉者が襲ってこないとは言い切れない。いや、鷹央を睨みつけた炎命の燃えるような双眸《そうぼう》を思い出すと、その可能性は高い気がする。

屋上の扉の前に警備員を置くなど、警備を強化する方法もあるが、それよりも一時的に〝家〟から避難する方が安全だ。

鷹央は無言のまま、床に散らばった本を拾い続けている。その目は虚《うつ》ろで、なんとなくからくり人形を見ているような気分になった。

「鷹央先生！」

僕は少し声を大きくする。鷹央は動きを止め、顔を上げる。その迷子の子供のような顔を見て、胸が締めつけられる。その表情には見覚えがあった。余命いくばくもない三木健太が自分に会いたがっていると知った際の表情。あのとき鷹央は、死を前にする少年にどう接していいか分からず、怯《おび》えていた。

「鷹央先生、昨日は色々なことがありすぎました。今日は真鶴さんの家に行って、ゆっくり休んでください」

僕が微笑みかけると、鷹央は脇に挟んでいた本をグランドピアノ上に置き、近づいてきた。

「傷……大丈夫か？」

耳をすまさなければ聞き取れないほどの小声で、鷹央はつぶやく。

「え？　ああ、切られた傷ですか？　大丈夫ですよ」

僕はジャケットの袖《そで》を捲《まく》って、ガーゼをあてた前腕を見せる。鑑識が〝家〟を調べている間に、救急部で当直の外科医に診察してもらった。傷は筋肉まで達しておらず、皮膚を縫合するだけで済んでいた。

鷹央は手を伸ばすと、テープで固定されたガーゼを剝《は》がす。その下から、黒い縫合糸で縫い合わされた五センチほどの傷跡が現れる。鷹央の表情がぐにゃりと歪んだ。

「あ、いや、大きく見えますけど、それほど深くないんですよ。皮膚を少し切られただけで……」

「……私のせいだ」鷹央の声は震えていた。「私が調子にのってあの預言者を刺激したから、こんな大事《おおごと》になったんだ。私の事情聴取をした警官にもそう責められた」

ああ、だから事情聴取のあと、やけにテンションが低かったのか。きっと、なかなか話が嚙み合わない鷹央に苛立《いらだ》って、警官もぞんざいな態度を取ってしまったのだろう。

「気にすることはありませんって。先生は羽村里奈ちゃんを助けるために頑張ったんですから」

僕の慰めの言葉に、鷹央は激しく顔を左右に振った。

「違う！　昨日も言っただろ。私はそうすることで健太を弔える気がしていたんだ。私は自分が楽になるために、あの預言者が偽物だと証明し、羽村佐智に骨髄移植に同意させようとしていたんだ」

本当に融通が利《き》かないんだから。両手の拳を握りこむ鷹央を見て、僕は苦笑を浮かべる。鷹央が純粋に羽村里奈の命を救いたくて、あの教会に乗り込んだことは間違いないのだ。ただ、羽村里奈の病歴を見れば、三木健太を思い出すのは当然のことだ。そして羽村里奈を助けることで、三木健太を弔える気がするのも。

誰にでもあるごく普通の感情。しかし、鷹央はそれが胸に湧《わ》くことすら赦せずにいる。きっとそれは、鷹央がそれだけ純粋であり、まだ三木健太に対する後悔を心の奥底に抱いているからだろう。

三木健太は決して鷹央を恨んでなんていなかった。それどころか、最期のときに駆けつけてきてくれた鷹央に感謝しながら逝《い》ったはずだ。なのに、鷹央はいまだに罪悪感に苛まれている。

もし、羽村里奈を救うことが出来たら。鷹央が自分自身を赦すきっかけになるかもしれない。僕にはそんな気がしていた。

「健太君の件がなかったら、先生は今回の件を引き受けなかったんですか？」

鷹央は顔を上げ、まばたきをする。

「……いや、そんなことはない。健太のことがなくても、もちろん引き受けた」

「それなら、里奈ちゃんを助けたいっていう先生の気持ちは、純粋なものですよ」

「けれど、私は今回の話を聞いた最初のときから、健太のことを思い出して……」

「僕もそうです。そして、里奈ちゃんを助けることで、健太君の弔いになる気がしました。きっと、熊川先生や鴻ノ池も同じです」

鷹央の目が大きくなる。

「これは人間の自然な反応です。そう感じたからって、利己的な行動をしたってことにはなりません」

「でも……」

「鷹央先生、もしかして、もうあの預言者から手を引くつもりですか？」

僕は鷹央の声を遮る。鷹央の顔に逡巡の表情が浮かんだ。

「先生、あの預言者が偽物だって証明して、佐智さんに骨髄移植を同意させることはできますか？」

たたみかけるように僕が訊ねると、鷹央の眉間に深いしわが刻まれた。

「それは……、かなり難しい……」

この人でもまだ、あの奇蹟のからくりはわからないのか。けれど、何かタネがあるはずだ。僕はそう確信していた。

預言者、神の声を預かる聖者が、人を襲わせたりするはずがない。なにか後ろ暗いことがあるからこそ、天草炎命はあんな反応をしたんだ。

そして、そのトリックを見破れる可能性があるのは……。僕はネコを彷彿させる鷹央の目をまっすぐに覗き込む。

「あの預言者の化けの皮を剝いで、里奈ちゃんに骨髄移植を受けさせることができるのは、鷹央先生だけなんです。だから、手を引くなんて言わないでください」

羽村里奈を救うだけではなく、鷹央の身の安全を確保するためにも、あの預言者が偽物だと証明する必要がある。真鶴の家に避難したとしても、あの預言者を狂信的に崇《あが》める者がいる限り、襲撃される危険は残っているのだ。

「でも、母親がやめろって言ったんだぞ。もう十分に悩んだから、これ以上かき回して、自分たちを苦しめないでくれって」

「佐智さんは、骨髄移植を受けなくても完治すると思い込んでいるんですよ。その可能性がありますか？」

「……いや」鷹央はつらそうに目を閉じる。「骨髄移植を受けなければ、間違いなく半年以内に里奈は命を落とす。もしかしたら、あと数週間ももたないかもしれない」

「そうなったとき、佐智さんはどう感じると思いますか？　自分のせいで一人娘が死んでしまった。そう苦しむんじゃないですか」

　鷹央は固く口を結ぶ。

「佐智さんにとって、里奈ちゃんは人生唯一の希望なんです。もし里奈ちゃんが自分のせいで命を落としたとなれば、佐智さんはきっと耐えられません。それを救えるのは先生だけなんですよ」

「けれど、羽村佐智はもう決心したって言ったんだぞ！　これ以上、娘につらい治療を受けさせないって。これまで、自分たちがどれだけつらい思いをしたか他人には分からない。だから誰にも口を出して欲しくないって！」

　鷹央は僕を見上げると、喘《あえ》ぐように言う。

「医者が出来ることは、患者に正しい情報を伝え、治療法を選択させることだ。羽村佐智は熊川から何度も説明を受け、必死に悩んだうえで、骨髄移植は受けないと決断をくだしたんだ。それを強引に変えさせる権利なんて、医者にはないはずだ！」

僕は荒い息をつく鷹央を見つめると、その手首を握った。

「鷹央先生、……行きましょう」

「え？　行く？　どこへ？」

「いいからついて来てください」

細い手首を握ったまま、僕は玄関へと向かう。鷹央はいつものようにじたばたと抵抗することなく、素直について来た。〝家〟を出た僕は、鷹央とともに屋上を横切り、階段を七階まで下りていく。どこに向かっているのか気づいたのか、鷹央の表情がこわばりはじめた。

「ここです」

目的地の前で、僕は鷹央の手を放す。そこは羽村里奈の病室の前だった。

「考えてみたら、僕たちはまだ羽村里奈ちゃんに会っていません。これからどうするか決定する前に、一度会っておくべきです」

「でも……」鷹央は口ごもる。

「たしかに法律上は、未成年の里奈ちゃんの治療は保護者に決定権があります。けど、だからと言って、本人の意見を聞かなくていいはずがありません。治療を受けるのは里奈ちゃんなんですから」

取っ手を見つめたまま固まる鷹央を、僕は急《せ》かすことなく待った。鷹央ならできると信じて。

鷹央の手がゆっくりと取っ手へと伸びていく。指先が金属製の取っ手に触れた瞬間、鷹央は一度、素早く手を引っ込める。しかし、すぐに決意の表情を浮かべると、取っ手を鷲摑《わしづか》みにし、勢いよく扉を開いた。

八畳ほどの広さの個室病室、その窓際に置かれたベッドで、少女が本を読んでいた。かなり痩せた少女だった。肌は青白く、細い血管が透けて見える。頭にはニット帽をかぶっていた。抗癌剤の投与により髪が抜けてしまっているのだろう。まだ面会時間前なので、佐智の姿はなかった。

不思議そうにまばたきをしたあと、少女の、羽村里奈の目が大きく見開かれている。

「あー、子供の先生だぁ！」

鷹央を指さしながら、里奈はその細い体に似合わぬ張りのある声で言った。

「……子供の先生じゃない。天久鷹央だ」鷹央は渋い表情になる。

たしか、三木健太にも『子供の先生』って呼ばれていたな。きっと小児科で研修をしたとき、多くの患児たちにそう呼ばれていたのだろう。

「え？　なんで子供の先生ここにいるの？　里奈に会いに来てくれたの？」

里奈ははしゃいだ声で言う。興奮のせいか、蒼白《あおじろ》かったその頬に赤みが差していた。

この人、何気に子供に好かれるよな。外見と言動が子供っぽいから、友達のような感覚で接されるのかもしれない。

「え、ああ、まあ……」

歯切れ悪く答える鷹央を「行きましょう」と促して、僕はベッドに近づいていく。ベッドわきに並んだ僕と鷹央を、里奈は笑顔のまま観察してくる。

「この人、誰？　子供の先生の恋人？」

僕を指さしながら、里奈はおしゃまな質問を口にする。鷹央は目を泳がしながら口を開いた。

「あ？　え？　いや、あの、そうじゃない。こいつは私の……、えっと、なんだっけ。……奴隷《どれい》？」

「部下です！」

「あ、ああ、そうだ。部下だ、部下」

相変わらず挙動不審の鷹央は、せわしなく頷く。僕は里奈ちゃんに「小鳥遊《たかなし》っていうんだ。よろしくね」と笑いかける。里奈は「よろしくお願いします」と行儀よく答えた。

「それで、なんで子供の先生、来てくれたの？」里奈は微笑む。

「なんで？　いや、階段を歩いて来たぞ。私はこの病院の屋上に住んでいるから、わざわざ車とか使う必要は……」

「移動手段じゃなくて、理由を聞いているんです」

完全にテンパっている鷹央に、僕は耳打ちする。

「理由、あ、理由か……。あのな……」

そこで言葉が続かなくなった鷹央は、泣きそうな表情で僕を見る。

まったく、世話が焼ける。

「鷹央先生はね、里奈ちゃんとお話がしたくて来たんだよ」

僕が横から助け舟を出すと、里奈は「そうなの？」と顔を輝かせた。

「あ、ああ、……そうだな。話をしに来たんだ。お前と話をしに……」

「なんのお話？」

しどろもどろの鷹央に、里奈は期待のこもった声で訊ねる。鷹央は再び助けを求めて僕を見上げてきた。僕はその視線に気づかないふりをする。

最初から最後まで僕がサポートしては駄目なのだ。鷹央本人が里奈と話し、そしてどうするべきかを決めなくては。

三木健太が亡くなるとき、鷹央は自分で正しい選択をした。今回だってきっとできるはずだ。

僕からの助けが望めないことを悟ったのか、鷹央は苦悩の表情を浮かべる。このままでは命を落としてしまう少女に、どのように声をかければいいか、どうすれば彼女を傷つけることなく話をすることができるのか、必死に考えているのだろう。

他人の気持ちを読むという能力が、鷹央には先天的に欠けている。しかしそれは、他人に対して思いやりがないということではない。空気が読めないことで誤解されがちなこの上司が、その実、人並み以上の優しさを持っていることを、僕は十ヶ月の付き合いで知っていた。

僕が見守る前で、鷹央はおずおずと口を開いた。

「……里奈」

「なに？　子供の先生？」

「夢……。将来の夢はあるか？」

「夢？」

里奈は唇に指をあてて数秒考え込んだあと、満面に笑みを浮かべた。

「ケーキ屋さん！」

「ケーキ屋？　パティシエになりたいってことか？」

「ぱてしえ？　なあにそれ？」

「ケーキなどの洋菓子を作る職人のことだ。大人になったら、ケーキを作る仕事をしたいのか？」

　里奈は「うん！」と力強く頷いた。

「私ね、ケーキ作るのすごく上手なの。お母さんと一緒によく作っているの。チーズケーキとかも得意だけど、ショートケーキが一番上手。あとね、このまえはババロアとかも作ったんだよ。子供の先生、ババロアの作り方、知っている？」

「いや、それは知らないな。ケーキは食べるのが専門で、作る気はなかったから」

「あのね、まずお砂糖とゼラチンを用意して……」

　頬を桜色に染めながら早口でババロアの作り方を説明する里奈を眺めながら、鷹央は柔らかく微笑んだ。普段は高校生、下手をすれば中学生に見えるような鷹央だが、いまはなぜか年相応の大人に見えた。

「なあ、里奈……」

　ババロアの作り方を一通り説明し終わった里奈に、鷹央が声をかける。

「病気を治すためには、これからつらい治療を受けないといけない。そのことは聞いたか？」

　里奈の顔から無邪気な笑みが消える。数秒俯いたあと、里奈は鷹央の顔を見た。

「こつずいいそく、とかいうお薬使うんでしょ。この前、お母さんと、熊先生から聞いた。ちょっと大変だけど、それが終われば病気が治って、また学校に行けるって」

里奈は力強い声で答える。きっと、まだ移植を受ける予定だったとき、佐智と熊川が説明したのだろう。

「骨髄移植は薬じゃなくて、ドナーの腸骨から……。いや、それはどうでもいいか。たしかに治療を受ければ、病気は完治する可能性が高い。けれど、いままでお前が受けてきた治療よりもさらにつらいものだ。……耐えられるか」

里奈は硬い表情で十秒ほど黙り込んだあと、笑みをうかべた。さっきまでの無邪気な笑みではなく、大人の女性を彷彿させる笑みを。

「大丈夫だよ。私、頑張れる」

里奈はこれまで二度にわたり、白血病に対する化学療法に耐えてきた。だからこそ、その口から出た決意の言葉は、重く胸に響いた。

「そうか。……頑張れるか」

鷹央は手を伸ばし、里奈の頰をそっと撫《な》でた。

「治療を頑張って、治ったら学校に行って、大人になってパティシエになるんだな」

「うん、だから子供の先生、私のケーキ、食べに来てね」

里奈の顔に浮かんだ笑みは、いつの間にか元の無邪気なものへと戻っていた。

「ああ……、食べに行くよ。絶対に……」

鷹央はそこまで言うと、顔を伏せて肩を震わせはじめる。

「どうしたの？　お腹《なか》痛いの？」

里奈が心配そうに鷹央の顔を覗き込んだ。僕は鷹央の小さな背中に手を添える。

「大丈夫だよ、里奈ちゃん。鷹央先生はね、朝ごはん食べていないから、ケーキの話をしてちょっとお腹がすいちゃったんだ。僕たちはご飯食べにいこうかな。また来るからね」

「うん、分かった」

里奈はまだ心配そうに鷹央を眺めながら頷いた。僕は「行きましょう」と鷹央を促す。鷹央は顔を伏せたまま、病室の出口へと向かった。

「また来てね。約束だよ」

里奈の声が背中から追いかけてくる。僕は「ああ、もちろん」と答えながら、鷹央とともに病室を出た。

「先生、どうぞ」

セーターの裾でしきりに目元をこすっている鷹央に、僕はポケットから出したハンカチを手渡す。受け取った鷹央は、大きな音を立てて洟《はな》をかんだ。

「……ん」鷹央はハンカチを差し出してくる。

「いや……。それ、あげますよ」

この前、清和総合病院の事件のときも、鴻ノ池に同じことされたな。せっかく買いなおしたのに……。僕が肩を落とすと、鷹央は気持ちを落ち着かせるように大きく息を吐いた。

「これからどうするか、決心はつきましたか？　佐智さんは骨髄移植を拒否していますけど、里奈ちゃん本人は治療する気です。それに耐える覚悟もできています」

水を向けると、鷹央は天井を見上げた。

「ああ、そうだな……。だが、未成年者の治療に関しては、やはり保護者がその決定権を持っている。そして、母親である羽村佐智は強い信念のもとで、骨髄移植を拒否している」

「え、でもそれは、骨髄移植を受けなくても里奈ちゃんが治るっていう、あの預言者の言葉を信じているからですよ」

予想と違う鷹央のセリフに僕は焦る。

「なにを信じるか、それは個人が判断するべきことだ。そして、宗教はその判断のための重要な要素だ。それについて、他人が口を出すべきじゃない」

「いや、けれど……」

反対意見を口にしようとした僕の顔の前に、鷹央は「ただし」と人差し指を立てた左手を突き出した。

「もし教祖が自らの利益のために適当なことを言い、トリックを使って信者たちを騙していたとしたら、それはもはや宗教ではない。たんなる詐欺だ。詐欺師に治療を左右されるなんて、医師として絶対に許せない。絶対にだ！」

鷹央は僕を見る。かすかに潤《うる》んだその目には、強い決意が漲《みなぎ》っていた。

「ええ、その通りです！」思わず顔がにやけてしまう。

「あの詐欺師の化けの皮を剝いで、里奈の命を助けるぞ！」

張りのある声が廊下に響き渡った。

4

「あの……、鷹央先生……」

ソファーに横たわり、漫画（崩れた〝本の樹〟の下の方に入っていたものだ）を読んでいる鷹央に僕は声をかける。

「なんだよ、いいところなのに」

漫画から顔を上げた鷹央は、不満げに答えた。

「いいところって……、あの預言者の正体を暴くんじゃないんですか？　なんで僕は本の整理をしているんでしょう？」

小児科病棟で決意表明をした鷹央とともに屋上の〝家〟に戻った僕は、この一時間ほど、崩れた〝本の樹〟をひたすらに積み直していた。最初のうちは鷹央も手伝っていたのだが、作業をはじめて十五分ほどで床に散らばった漫画を見つけ、「あっ、懐《なつ》かしい」と読みだした。それからというもの、「そこには英字の医学書をアルファベット順で」「そこは国内ミステリー小説で、作者が『あ行』のものを発行年別だ」などと指示だけ出しつつ、ずっと漫画を読み耽《ふけ》っている。

「いまは必要な人材が来るのを待っているところだ」

そういえば〝本の樹〟の再植樹を開始する前、鷹央は誰かに二回ほど電話をかけていた。

「だとしても、僕にだけやらせないで、少しは先生も手伝ってくださいよ」

「だってお前さっき、『僕が倒したんですから、全部直しますよ』って言っただろ？」

鷹央は首を傾ける。

「言ってません！　『手伝います』って言ったんです！」

この人、録画した映像を再生するみたいに、過去の記憶を頭の中で見返せるらしいけど、ときどき都合よく改竄《かいざん》することがあるんだよな。

「そうだっけ？　まあ、なんにしろ本を崩したのは、お前とあのヤクザ崩れの男だ。だから頑張って元に戻せ。ああ、その本はミステリーというよりホラーだから、そこには入れるな」

賽《さい》の河原《かわら》で石を積み上げているような気分になり、僕は肩を落とす。

「そもそも、誰を呼んだんですか？　先生なら、ちょっと考えれば解決できるんじゃないですか？」

「今回の件は、そんな単純なものじゃない。私だけではどうしようもない」

漫画をわきに置いた鷹央は、表情を引き締める。

この人が一人では解けない謎か……。僕は教会で見た『奇蹟』を思い出す。両目から溢れる血の涙。そして掌に浮かび上がる十字架。たしかに、なぜあんな現象が起きたのか想像もつかない。不可解な謎に、少ない手がかり。状況はかなり悪かった。骨髄移植を受けるなら、来週の月曜までに骨髄バンクに連絡しなければならない。それが過ぎれば、移植は不可能になる。そして羽村里奈は……。

不吉な想像に僕は身を震わせる。

「それじゃあ、そろそろはじめるか」

鷹央はつぶやきながらソファーから立ち上がると、デスクの椅子に座り、紙と鉛筆を手に取る。僕が「なにをするんですか？」と訊ねると、鷹央は「まあ見ておけよ」と、左手に持った鉛筆を素早く動かしはじめた。

みるみる紙の上に人の顔が現れていく。それは、教会で見た預言者、天草炎命の顔だった。一見すると白黒写真と見間違いそうなほど精密な似顔絵を、僕は口を半開きにして眺める。

この人、やっぱり芸術的な才能が頭抜《ずぬ》けているよな。ピアノとかもめちゃくちゃうまいし。

「で、なんであの預言者の似顔絵なんて描いたんですか？」

鷹央が「それはな……」と説明しかけたとき、玄関扉がノックされた。

「入っていいぞ」

鷹央が言うと、勢いよく扉が開く。

「鴻ノ池？」僕は声を上げる。扉の向こうには鴻ノ池舞が立っていた。

「はい、鴻ノ池です！」鴻ノ池は元気よく右手を上げた。

「いや、『鴻ノ池です』じゃなくて、なにしに来たんだよ？」

「え？　鷹央先生に呼ばれてきたんですけど」

呼ばれて？　僕が振り返ると、鷹央が手招きをしていた。

「とりあえず入ってくれ」

「はーい、お邪魔します、って、どうしたんですか、これ？　めちゃくちゃじゃないですか⁉」

床に散らばっている大量の本を見て、鴻ノ池は目を大きくする。情報通の鴻ノ池も、昨晩の事件の詳細は知らないらしい。まあ、事件からまだ半日しか経っていないし、警察官も患者に不安を与えないように裏口から屋上に来ていたので、それほど噂にはなっていないのだろう。

「後で詳しく説明する。それより、日曜に呼び出して悪かったな。予定とかなかったか？」

鷹央は申し訳なさそうに言う。その十分の一でいいから、昨日から徹夜のうえ、片づけをしている僕にも気を使ってほしいものだ。

「もちろん大丈夫です。鷹央先生が里奈ちゃんを見捨てるわけがないって分かっていました。だから、なにかお手伝いできるかもしれないと思って、ちゃんと予定を空けて準備していたんです」

鴻ノ池は軽い足取りで部屋に入ってくる。

「それで、なにがあったんですか？　いまってどういう状況なんですか？」

鴻ノ池は興奮した声で言う。先日の事件で鷹央に助けられた鴻ノ池にしてみれば、その恩を返すチャンスが来て嬉《うれ》しいのだろう。普段からエネルギッシュな鴻ノ池がはしゃいでいる姿を前にして、体に溜《た》まった疲労が強くなっていく気がする。

「鴻ノ池、ちょっとテンション落としてくれ。徹夜明けにお前は、なんというか……、胃に来る」

「どういう意味ですか？」

鴻ノ池は頬を膨らませると、床に散らばっている本を拾いはじめた。

「とりあえず手伝いますから、片付け終わらしちゃいましょ」

「ありがとう。助かるよ」

フットワークの軽い鴻ノ池に手伝ってもらえば、かなり早く済むだろう。

「ああ、舞はそんなことしなくていい。それより大切な仕事を頼みたいんだ」

「え？ 大切な仕事ですか。やります、なんでもやります」

鷹央に声をかけられた鴻ノ池は、手にしていた本を僕に押し付けると、スキップして鷹央に近づいていった。

「それで、私はなにをすればいいんですか？」

湿った視線を送る僕に気づく様子もなく、鴻ノ池はデスクのわきで小さく飛び跳ねる。

「もう一人ここに来る予定だから、説明はそいつが来てからにしよう」

「もう一人、ですか？」

鴻ノ池がつぶやいたとき、ノックの音が響き、玄関扉が開いた。

「うわっ、なんなわけ、この本まみれの部屋は」

扉の向こう側に立つ、黒髪をボブカットにした長身の女性が声を上げる。

「阿麻音さん？ なんでここに？」僕は眉根を寄せる。

「なに言っているのよ。そこの小さな先生が呼び出したんでしょ。里奈ちゃんを助けたければ、さっさと来いって」

もう一人の呼び出していた人物というのは、この女詐欺師のことだったのか。

「よく来たな。入ってもいいぞ」鷹央が手招きする。

「入ってもいいぞって……。できればこんな怪しい部屋、入りたくないんだけど。なんでカーテンしめ切っているのよ。薄暗くて気味悪いじゃない」

「昼なのにカーテン開けたら眩《まぶ》しいだろ。いいから、さっさと入れ」

「なんなのよ、人をいきなりこんな魔女の棲家《すみか》みたいな家に呼び出してさ……」

ぶつぶつと文句を言いながら室内に入った阿麻音は、本を踏まないように気をつけながら、鷹央に近づいていく。

「里奈ちゃんを助けるってどういうことなの？　あの奇蹟のトリックを見破れたわけ？　それなら、さっさと佐智さんに教えて、あの預言者が詐欺師だって……」

「落ち着けよ。そのためにお前たちの協力が必要なんだ」

早口でまくしたてる阿麻音を鷹央が遮った。

「……私になにをさせようっていうのよ？」

「まずはな、お前に……」

左手の人差し指を立てて説明をしだしたところで、鷹央は言葉を切ると、大きな目で僕を凝視する。

「な、なんですか？」思わず一歩後ずさってしまう。

「ここじゃ落ち着かないから、私の寝室で話そう。あっちだ」

似顔絵を手にデスクから立ち上がった鷹央は、鴻ノ池と阿麻音を促して部屋の奥へと向かった。

「え、それじゃあ僕は……」

足を踏み出した僕を、振り向いた鷹央の刃物のような視線が射抜く。

「何人《なんぴと》たりとも男は私の寝室へ入ることまかりならん。禁を破らば、恐ろしい災いが汝《なんじ》に降りかかるであろう」

「いや、そんな黙示録の預言みたいなセリフ言われても……。あの預言者についてなら、情報共有しておきたいし……」

「昨日の大男がどうなったか忘れたわけじゃないだろ」

鷹央は真顔でつぶやく。口から涎《よだれ》を垂らして失神している田山の姿が脳裏をかすめ、頬が引きつる。

「それじゃあ、本の整理を頼んだぞ」

固まっている僕を一瞥すると、鷹央は扉の奥へと姿を消し、阿麻音と鴻ノ池がそれに続いた。

「小鳥先生」

扉の隙間から鴻ノ池が顔だけ覗かせ、ウインクをする。

「ガールズトークは男子禁制ですよ」

鴻ノ池の顔が引っ込み、扉が閉じる。

「……なんなんだよ」

重いため息が、薄暗い部屋の空気に溶けていった。


「もう金曜ですね」

「……そうだな」

ソファーに体育座りしている鷹央は、低い声で答える。

「骨髄バンクへの回答期限まで、あと三日ですね」

鷹央が阿麻音と鴻ノ池を呼んだ日から、すでに五日が経過していた。その間、鷹央は教会に向かうどころか、病院から出ることも、預言者について言及することもほとんどなかった。

膝を抱えたまま床を見つめている鷹央を、僕は見つめる。五日前、鷹央は「慣れた環境じゃないと、色々と不便なんだ」と真鶴の勧めを断り、この〝家〟に残った。真鶴が手配して、屋上へと繋がる階段に警備員を常駐させてくれたため、危惧《きぐ》していた再襲撃を受けることはなかった。

　羽村里奈を救うと決めたときはテンションが高かった鷹央だったが、時間が経つにつれ口数が少なくなり、険しい表情で考え込むことが多くなっている。一緒に働いている僕は、鷹央の焦燥が明らかに濃くなっていることを感じ取っていた。

　不安をおぼえた僕は今日、救急部での勤務を終えた足で鷹央の〝家〟を訪れていた。

「ああ、あと三日だな……」抑揚のない口調で鷹央はつぶやく。

「預言者の件……。解決できそうですか？」

　これまで、プレッシャーをかけまいと、あの預言者について言及してこなかった。しかし、ここまで切羽詰まっては、状況を確認せずにはいられなかった。

　鷹央は床を見つめたまま、まるで僕の声が聞こえていないかのように反応しない。まだ解けていないのか。この人をここまで追い詰めるほど、あの『奇蹟の謎』は難解なのか。

「いま、熊川先生がまた佐智さんを説得していることは知っていますか？」

　重い空気を少しでも払拭《ふっしょく》しようと、僕は話題を変える。先日、熊川に状況を訊ねた際、今日の午後五時頃から佐智と話し合い、最後の説得を試みると言っていた。

「知ってるよ」

「熊川先生、佐智さんを説得できますかね」

「無理だろうな。羽村佐智の預言者に対する信仰は極めて厚い。医学的にどれだけ必要性を説いても、骨髄移植に同意はしないはずだ」

「鷹央先生も一緒に説得するっていうのはどうですか。どうやってあの奇蹟を起こしたのか、仮説ぐらいはあるんでしょ。それを説明すれば、もしかしたら佐智さんの目も醒《さ》めるかも」

「無理だ。いまはまだ、私は羽村佐智を説得できない。いまは、待つしかないんだ」

「待つって、鴻ノ池とか阿麻音さんに頼んだことをですか？　あの二人になにをさせようとしているんですか？」

早口で訊ねるが、鷹央は再び口をつぐんでしまった。あと三日しか残されていないのに、まだ推理するための手がかりさえ集まっていないということか。焦燥が胸を焼く。

「先生、なにかいま僕にできることはないんですか？　鴻ノ池や阿麻音さんの手伝いでもなんでもしますから！」

鷹央は顔を上げて僕を見ると、ゆっくりと口を開いた。

「いま、お前にできることはない」

「……そうですか」

できることはない……。鷹央の言葉が胸を抉り、無力感が容赦なく背中にのし掛かってくる。

「ちょっと小児科病棟に行って、話し合いがどうなったか訊いてきます」

鷹央は「ああ、分かった」と答えると、再び床を眺めはじめた。

僕は七階まで階段を下り、小児科病棟に入る。ナースステーションを覗き込むが、熊川の姿はなかった。まだ佐智との話し合いが続いているのかもしれない。腕時計を見ると、もうすぐ午後七時になるところだった。二時間近くも話し合っているところを見ると、かなりもめているのだろう。

出直そうかと思ったとき、廊下の奥に熊川が姿を現した。その顔に浮かぶ苦渋の表情を見て、説得が不調に終わったことを悟る。

「熊川先生、話し合いは……」

小走りに熊川に近づいていった僕は、その巨体の後ろに人影があることに気づいた。熊川の背後に隠れるように立っていた女性、羽村佐智は、僕の顔を見ていぶかしげに目を細めた。

「……ああ、この前、天久先生と一緒に教会に来ていた方ですね」

僕の正体に気づいた佐智が声を上げる。

「はい、そうです」僕は首をすくめた。「あの、それで治療方針は……」

「骨髄移植はやらない方針で変わりはないそうだ。週明け、骨髄バンクに正式にキャンセルの連絡をする」

眉間に深いしわを刻む熊川に、僕は「そうですか……」としか声をかけられなかった。唇をへの字にした熊川は廊下を進んでいく。ナースステーションに戻り、話し合いの結果をカルテに記録するのだろう。廊下には僕と佐智だけが残された。

「先日は失礼しました……」

居心地の悪さをおぼえながら頭を下げると、佐智は「気になさらないでください」と微笑んだ。

「先日は私も動揺して、失礼なことを申し上げました。そう言えば翌日、天久先生、里奈に会いに来てくださったらしいですね。里奈がとても喜んでいました。ありがとうございます」

会釈《えしゃく》をする佐智からは、教会で会ったときの狂気を孕《はら》んだ熱は感じ取れなかった。

「あの、骨髄移植を受けない方針というのは、やはり……預言者の方が……」

僕は慎重に言葉を選びながら訊ねる。

「はい、もう一度確認しましたけど、炎命先生は移植をしなくても里奈は助かるって。もし移植を受けたら、逆に大変なことになるっておっしゃっていました」

佐智の笑顔に、かすかに危険な色が滲みはじめる。

「はあ、あの預言者さんが……」

なんと言えばいいのか分からず、僕は間の抜けた相槌を打つ。

「そうです。先生も見たでしょ、あの奇蹟を。本当にすごい方なんです。十分ぐらい前に連絡があったんですけど、明後日《あさって》、バチカンから奇蹟調査官が来ることになったんですよ！ 炎命先生の奇蹟を本物だって認定するために！」

佐智は前のめりになると、興奮気味にまくし立てる。そう言えば、バチカンにそんな申請をしているとか言っていたな。

「それは……すごいですね」

「ええ、あの方には本当に神の声が聞こえるんです。だから、絶対に里奈は助かるんです。絶対に！」

目を血走らせる佐智から、僕は目を逸《そ》らす。

どうやれば彼女の目を醒ますことができるだろうか？ あの預言者の命令で、田山が鷹央を襲ったという事実を告げたらどうだろうか？

いや、だめだ。僕は頭を振る。田山が起こしたことを知っても、きっと佐智は、『個人の暴走』もしくは『預言者を侮辱した当然の報い』と自分を納得させてしまうだろう。

佐智の信仰の対象はもはや神ではなく、あの預言者になっている。奇蹟のトリックを完全に解き明かさない限り、佐智が骨髄移植に同意することはない。

そこまで考えたとき、背筋に冷たい震えが走った。
あの奇蹟がトリックだと解き明かしたとしても、本当に佐智は骨髄移植を受け入れるのだろうか？　たとえそれを証明できたとしても、妄信的に預言者を信奉している佐智は、現実から目を逸らし続けるのではないだろうか。だとしたら、どうすれば……。

「ああ、すみません、興奮しちゃって。じゃあ、失礼します。里奈の病室に行かないといけないので」

佐智は頭を下げると、廊下を奥に進んでいった。その姿を見送った僕は、暗い気持ちで小児科病棟の出口に向かう。ナースステーションの前を通ると、熊川が電子カルテに記録を打ち込んでいた。羆《ひぐま》のようなその巨体が、いつもより小さく見えた。

小児科病棟をあとにして屋上に戻った僕は、報告のために鷹央の〝家〟へと向かった。玄関扉を開けると、鷹央が自分の手を見つめていた。その両手には手袋が嵌《は》められている。

「なにしているんですか？」

「手袋を試着していたんだ」

鷹央は僕に両手を突き出す。細い糸で編み込まれた黒い手袋だった。

「手袋？　もう五月なのに、いまさらですか？　それより、小児科病棟で佐智さんに会って、話を聞いてきましたよ」

「……どうだった？」

表情を引き締める鷹央に、僕は小児科病棟であったことを鷹央に説明した。

「そうか、バチカンがな……」

あんな怪しい男にわざわざバチカンが使者を出したことが可笑《おか》しいのか、鷹央の唇に皮肉っぽい笑みが浮かぶ。

「このままじゃ、月曜には骨髄バンクに移植キャンセルの連絡をすることになります。なんとかする方法はないんですか」

僕が髪を掻き乱すと、鷹央がソファーから立ち上がった。

「あるぞ」

「は？　ある⁉」

「なに大きな声を出しているんだ。あるに決まっているだろ。そのために、わざわざ舞と詐欺女に働いてもらったんだから」

「え？　ちょっと待ってくださいよ。あの二人に頼んだ仕事って、もう終わっているんですか？」

「ああ、とっくに終わっている。かなり面倒なことを頼んだが、二人とも思った以上に頑張ってくれたよ」

「それじゃあ、なんでまだ、あの預言者を野放しにしているんですか？」

「準備が必要だったんだよ。この件を解決するためにな。この数日、本当にイライラした。ただ待つことしかできないんだからな」

鷹央は大きくかぶりを振る。

「けれど、ようやく全てのピースがそろった。これできっと、あの預言者に一泡吹かせてやれる。小鳥、日曜の正午にここで集合だ。あいつの化けの皮を剝ぎに行くぞ！」

「……僕もですか？」

興奮気味に言う鷹央に、僕は聞き返す。

「なに言っているんだ、当たり前だろ」

「でも、さっき先生、僕にできることはないって……」

その言葉がいまも引っかかっていた。

「違うだろ」鷹央は呆れ顔になる。「私は『いま、お前にできることはない』って言ったんだ。それは三十八分前の話だ。明後日のことじゃない」

その言葉を聞いて、濁っていた気持ちが晴れていく。僕は顔に力を込めて、ほころびそうになる表情を固めた。

「じゃあ、明後日には僕が必要だっていうことですね。僕は何をすればいいんですか？」

鷹央は唇の端をにっと上げた。

「私のそばにいろ。それがお前の仕事だ」

5

「そばに寄るな。窮屈だからもっと離れろよ」

キャンプなどで使う折り畳み式の椅子に腰掛けた鷹央が、僕の腰を靴裏で押す。

「無茶言わないでください。そもそも、こんな狭い空間に椅子なんて運び込んで」

縦横一メートル、高さ二メートルほどの暗い空間、僕と鷹央は一時間ほど前からここに待機していた。僕は格子《こうし》のわずかな隙間から外の様子を窺う。そこには無人の礼拝堂が広がっていた。

田無保谷カトリック教会の礼拝堂の隅にある収納スペース。普段はパイプ椅子が収められているその空間に、僕と鷹央は隠れていた。

昼に日曜礼拝が終わり、信者たちが帰宅したあと、僕たちは裏口からこの礼拝堂に忍び込んだ。合鍵《あいかぎ》は阿麻音が用意したということだ。先週の日曜に阿麻音を呼び出したのは、それを用意させるためだったのだろう。

格子の隙間を通して漏れてくる光に腕時計をかざす。時刻は午後六時半を過ぎていた。鷹央が（おそらく阿麻音から）得た情報によると、午後七時頃から再び集会が開かれ、あの預言者がパフォーマンスを行う予定らしい。そして、その集会にバチカンから奇蹟調査官が参加し、預言者の奇蹟が本物であるか判定を行うということだ。

かすかに足音が聞こえてくる。僕は息をひそめつつ、外の様子を窺う。数人の男女が礼拝堂の中に入ってきて、最前列の席に座った。見覚えのある人々だった。天草炎命の熱心な信奉者たち。その中には羽村佐智の姿もあった。

遠目にも彼らが、興奮と不安がブレンドされた表情をしているのが分かる。それも当然だろう。一時間もしないうちに、バチカンの使者によって、自分たちが慕う預言者が本物であるか否《いな》かを判断されるのだから。

彼らに続いて、パラパラと集会に参加する者たちが礼拝堂に集まりはじめた。特別な日だけあって、先週僕たちが参加した集会よりも、さらに多くの人々がやって来る。予備として用意されたパイプ椅子もすぐに埋まり、立ち見の者までいる。

礼拝堂に人々が溢れかえったところで、神父である森下則夫が祭壇わきの扉から姿を現した。空気がざわりと揺れる。

緊張した面持《おもも》ちの森下に続いて、男女二人が礼拝堂に入って来た。一人は金髪の中年白人男性だった。アイロンのきいたブラックスーツを着込み、無表情で立っている。男の隣には小柄な女性が立っていた。年齢は三十前後といったところだろうか。修道女用のローブを着て、首からはロザリオが下がっている。長い金髪が頭にかぶったフードから覗き、その瞳は美しい碧色《へきしょく》をしていた。

「えー、皆さん。バチカンからはるばるおいでくださったコスタ神父と、通訳をしてくださるルッソさんです」

森下が二人を紹介する。通訳のルッソという女性は小さく会釈をするが、コスタという神父はほとんど反応を示さなかった。

森下はハンカチで額の汗を拭いながら、二人を最前列の席へと案内した。

「鷹央先生、バチカンからの使者が来ましたよ」

僕は小声で報告する。

「……ああ、そうか」

鷹央は手袋を嵌めた両手を凝視したまま答えた。それほど寒くはないはずだが。いや、そんなことより……。

「……大丈夫ですか？」

「なにがだ？」鷹央はようやく顔を上げる。

「緊張しているんでしょ？」

鷹央は一瞬、反論するようなそぶりを見せるが、すぐに目を伏せた。

「そうだな……、たしかに緊張している」

今日の正午、〝家〟に迎えに行った時から、鷹央はずっと落ち着きがなかった。

「今回の件、解決できるかどうか、まだ分からないんですか？」

「ああ、まだ分からない」

ありとあらゆる事件の真相を見抜いてきたこの人でさえ、解けないかもしれない謎か……。今回の相手がどれだけ強敵であるかを実感する。

「大丈夫ですよ。きっと上手《うま》くいきますよ」

「……なんでそう言い切れるんだ。そんなのやってみなければ分からないだろ」

鷹央の顔が急速にこわばっていく。

「もし、私が失敗したら……」

そこで言葉を切ると、鷹央は自分の肩を抱くように両腕をまわす。その体は細かく震えていた。

失敗したら、少女の命が失われてしまう。鷹央の小さな背中にかかっている重圧は、想像を絶するものだろう。

「大丈夫です」

僕は華奢な肩に手を添える。掌にかすかに振動が伝わって来た。鷹央は僕の顔を睨《ね》め上げる。

「だから、なんの根拠があって大丈夫だなんて、適当なことを言っているんだ」

「適当じゃありませんよ。統括診断部で十ヶ月も働いて来た経験則です」

「経験則？」

「そうです。この十ヶ月、先生はありとあらゆる謎に首を突っ込んでは、それを全部解決してきたじゃないですか。つまり、百パーセントの成功率です。なら、統計的に考えて、今回も成功する確率が極めて高いはずです」

「……統計的にか。なんか科学的に聞こえるが、実際はなんの根拠もない話だな。お前らしいよ」

鷹央の顔に、かすかに笑みが浮かぶ。

「それに、きっと健太君も応援してくれていますよ。自分のことを忘れずに、頑張っている鷹央先生を」

「おいおい、科学的じゃないって言われたからって、今度は開き直ってオカルトかよ」

鷹央は苦笑しながら肩をすくめる。

「いいじゃないですか、オカルトだって。先生、いつも言っているでしょ。科学で証明できることだけが真実とは限らないって。だから、僕は本気で思っているんですよ。健太君はきっといまの鷹央先生を見て、心から応援しているって」

「そうかもしれないな……」

鷹央はウエストポーチからニューヨークヤンキースの野球帽を取り出す。今日、〝家〟を出るとき、鷹央はグランドピアノに置かれたその帽子を大事そうにポーチにしまっていた。

「それに、今回の相手もオカルトじみていますよ。なんといっても、相手はある意味、『神』みたいなものなんですから。だから、健太君が見守ってくれていると思うぐらい、いいじゃないですか」

「ああ、そうだな。たしかにその通りだ」

鷹央は手にしていた野球帽を頭の上に置くと、笑みを浮かべた。

普段、謎を解くときに浮かべる不敵な笑みを。

「それじゃあ、いっちょ〝神狩り〟としゃれこむか」

「ええ、そうですね。そろそろはじまりそうですよ」

僕は穴から礼拝堂を覗く。森下が祭壇のわきにある扉に近づいていき扉を開けた。その奥に、漆黒のローブを纏った天草炎命が俯きながら立っていた。小さな歓声が上がる。

前回の集会では森下の説教の後に出てきた炎命だが、バチカンの使者が来ているということで、今日はいきなりの登場らしい。

「いよいよだな」

鷹央は椅子の上に立って、外の様子を窺う。

「落ちないように気をつけてくださいね。運動神経悪いんだから」

「落ちないよ。余計なお世話だ！」

文句を言うと同時に、鷹央は椅子の上でバランスを大きく崩し、両手で宙を掻く。僕は慌ててその手を取って体勢を安定させた。

「……気をつけてくださいね」

「うん、……気をつける」

珍しく素直になった鷹央とともに、僕は再び穴を覗き込んだ。前回と同じように、炎命は無言のまま祭壇の前まで移動すると、伏せていた顔を上げた。それを見て、最前列に座っていたルッソが立ち上がる。

「これより、奇蹟の調査、行います。調査官はコスタ神父、です。申請された奇蹟は、『血の涙』と『聖痕』、です。間違い、ないですか？」

たどたどしい日本語でルッソが説明する。炎命は微動だにしなかった。隣に立つ森下が代わりに「はい、間違いないです」と、上ずった声で答える。

「では、どうぞ」

ルッソは優雅な仕草で席に着いた。その隣では、奇蹟調査官だというコスタ神父が無表情のまま炎命に視線を注いでいた。礼拝堂に緊張感が満ちていく。

炎命は前回見たのと同じように、額の前で両手を組み、ぶつぶつとつぶやきはじめる。数十秒後、組んでいた両手を胸に当て、炎命は天を仰いで目を閉じた。

礼拝堂に沈黙が満ちる。やがて、炎命がゆっくりと正面を向いた。

空気が大きく揺れる。炎命の充血した目に、真っ赤な涙が溜まっているのを見て。瞳から溢れた涙が頬を伝い、赤い筋をつくる。

「悔い、……改めよ。終わりの日は……近い」

炎命は荒い息をつきつつ、左の掌を突き出した。礼拝堂にいる人々の視線がそこに釘付《くぎづ》けになる。やがて、白い掌の皮膚に変化が現れる。その中心部分がうっすらと赤くなっていき、そこに赤い十字架が浮かび上がっていった。

歓声にも近いざわめきが上がる。見ると奇蹟調査官のコスタも、目を大きく見開いている。

奇蹟の真贋調査を専門に行っている者があんなに驚くとは……。あの預言者が偽物であると証明することは出来るのだろうか？　不安をおぼえながら外の様子を眺めていると、隣から「よし、行くか」という声が上がる。次の瞬間、目の前の扉が勢いよく開いた。扉は勢いを殺すことなく壁に当たり、大きな音を上げる。参加者たちが一斉に振り向いた。視線の圧力にのけぞる僕を尻目に、鷹央は倉庫から足を踏み出し、セーターに包まれた胸を張った。

「そいつは偽物だ！」鷹央の声が高らかに礼拝堂に響き渡る。

唐突な出来事に誰もが固まるなか、鷹央は礼拝堂の中央を走る太い通路を大股《おおまた》に進んでいく。僕も慌ててその後を追った。

「炎命先生に近づくな！」

最前列に座っていた年配の男性が鷹央の前に立ちはだかった。それを見て、我に返った数人の男が鷹央と炎命の間に割り込んだ。僕は鷹央の前に出て、彼らと対峙《たいじ》する。

ふと見ると、最前列に座っている羽村佐智が怒りに満ちた目を僕たちに向けていた。

「この前、炎命先生に絡《から》んだ奴らだな。ここに何の用だ⁉」

最初に立ち上がった年配の男が、額に青筋を立てながら怒鳴る。

「いま言っただろ。その預言者は偽物だ。それを証明してやる」

「ふざけるな！　今日は大切な日なんだ。さっさと出て行け。さもないと……」

「さもないとどうする？　力ずくで追い出すか？　忘れているかもしれないが、ここはキリスト教の教会だぞ。隣人への愛を説く場所で、そんな暴力的なことをしていいのか？」

鷹央が挑発的に言うと、男は表情を歪めつつ振り返って、この教会の責任者である森下を見る。しかし、森下は目を泳がせるだけだった。

「……追い出せ」

低く籠った声が響く。見ると、炎命が赤い涙をためた目で僕たちを睨みつけていた。

「その二人をさっさと追い出せ。……どんな手段を使っても」

炎命は十字架が浮かぶ手を大きく振った。男たちの顔から迷いの色が消えていく。

僕は重心を落とすと、拳を作った両手を胸の前に持ってくる。それほど体格のいい者はいないが、多勢に無勢だ。一気に襲いかかられたらきつい。冷たい汗が額を伝っていく。

「ストップ！」

腹の底に響くような声が上がり、飛びかかろうとしていた男たちが硬直する。見ると、ルッソが立ち上がっていた。

「ここは神の家、暴力、絶対に許しません！」

ルッソの碧眼に睨まれた男たちは、ばつが悪そうに顔を伏せた。

「けれどルッソさん。この方たちは、大切な奇蹟認定の邪魔を……」

言い訳をする森下に一瞥もくれることなく、ルッソはそのサファイヤのような色の瞳を鷹央に向ける。

「あなた、彼の奇蹟、偽物と言いましたね？」

「そうだ。さっき見せた奇蹟はトリックだ。私ならそれを証明できる」

鷹央が宣言すると、ルッソは隣に座るコスタと小声で話しはじめる。数十秒後。ルッソは大きく頷くと、鷹央に向き直った。

「では、証明してください」

「そんな⁉」と抗議の声を上げた森下に、ルッソは冷めた視線を注ぐ。

「奇蹟はあらゆる検証した結果、間違いないとされた場合だけ、認定されます。もし、それ偽物だという人いるなら、話を聞くの、当然です」

言葉こそたどたどしいが、ルッソの態度は凛《りん》としていた。森下は唇を噛んで黙り込む。

「ほら、バチカンのお墨付きだぞ。さっさと道を開けろ」

鷹央が虫でも追い払うように手を振ると、立ち塞がっていた男たちはためらいがちに道を開けた。鷹央はゆっくりと炎命の前に進んでいく。

「ようやく落ち着いて話せるな、自称預言者さん」

小馬鹿にするような鷹央の言葉に、炎命の髭に覆われた顔が歪んだ。

「私の言葉は神の言葉だ。私を疑うことは神を疑うことだ」

「悪いが、前にも言ったように私は科学者だから、どんなものでも疑ってかかる。その上で検証を重ね、最後まで残ったものが真実だ」

鷹央はそこで言葉を切ると、唇の端を上げた。

「さて、お前の奇蹟は残れるかな？」

「神は疑うものではない、信じるものだ」

「神に関してはそうかもしれない。しかし、お前は神ではなく預言者だ。本当にお前が神の言葉の代弁者であるかどうか、検証が必要だ」

「私には神の言葉が聞こえるんだ!」炎命は声を荒らげた。

「そうなのかもな。まあ、そんなに興奮するなって。とりあえず、お互いの健闘を祈ろう」

鷹央は芝居じみたセリフを吐くと、手袋をはめた右手を差し出す。炎命はその手を硬い表情で見下ろした。

「シェイクハンズ、素晴らしいです。協調は神の教えです」

ルッソが緊張感のない言葉で握手を促す。炎命が渋々と手を摑んだ瞬間、鷹央は腕を引く。不意を突かれて前のめりになった炎命の耳元に、鷹央は口を近づけた。

「覚悟しておけよ、この詐欺師が。お前の化けの皮を剝いで、吊《つる》し上げてやるからな」

炎命は落ちくぼんだ目を剝《む》く。隣では森下神父が大きく息を吞んだ。

「ふざけるな!」

炎命は手を引っ込めようとする。しかし、鷹央は手を放さなかった。

「そんな焦るなよ。威厳がなくなるぞ」

「うるさい！」

鷹央の手を振り払った炎命が一歩後ずさると、鷹央は左手を差し出した。

「今度は握手じゃないぞ。これからが本番だ。お前の『聖痕』を見せてみろ」

炎命はかばうように左手を引く。

「言われた通り、してください。これも、調査の一環です」

ルッソが鋭く指示を飛ばす。炎命は唇を歪めると、ためらいがちに左手を差し出した。鷹央はその手を両手で摑み、まじまじと観察する。

「なるほど、たしかに十字架が浮かび上がっているな。皮膚の発赤《ほっせき》と腫脹《しゅちょう》が認められる。かなり痒《かゆ》いんじゃないか？」

炎命は横を向いて、鷹央の質問に答えなかった。代わりに、顔を紅潮させた森下が声を上げる。

「明らかに十字架でしょ。そして、これは炎命先生が神に祈ったら生じたものです。あなたも見たでしょう？　この十字架が浮き上がるところを。あれが目の錯覚だとでもいうんですか」

「目の錯覚ではないな。ここには、間違いなく十字架が浮かび上がっている」

鷹央の答えを聞いて、森下の表情に安堵が浮かぶ。

「さて、どうやったらこれに説明がつくかな……」

鷹央は炎命の手を放すと、目を閉じた。僕は耳を疑う。少なくとも奇蹟のからくりに見当をつけたうえで乗り込んでいると思った。それなのに、いまから考えるなんて……。

黙り込む鷹央の隣で、慌てて僕も頭を絞る。

掌に描いた十字架の模様をファンデーションで隠しておき、それを落とした？ それとも特殊な光をどこかから当てて、模様を見えなくしていた？

いや、そうじゃない。ファンデーションを落とす仕草なんてなかったし、おかしな光が当たっている様子もなかった。じゃあ、いったいどうやって……。

「説明なんてつかないじゃないですか！ やっぱりこれは『奇蹟』なんです！」

一分以上黙り込んだ鷹央を見て、森下が声を張る。瞼を上げた鷹央はこめかみを掻いた。

「たしかになかなか難しいな。悪いけれど、もう一度だけ手を確認させてくれないか」

「……ふざけるな。もう十分だ」炎命が唸《うな》るように言う。

「そう言うなって。触ったりしない。もう一度だけこっちに掌を向けて、十字架を確認させてくれ。そうすれば大人しく出て行って、二度とここには近づかない」

逡巡の表情を浮かべる炎命に、鷹央は一歩近づく。

「それくらいいいだろ。本物の預言者なら、なんの心配もないはずだ」

挑発する鷹央を睨みつけた炎命は、小さく舌を鳴らすと左手を上げた。

礼拝堂に沈黙が下り、そして数秒後、礼拝堂の空気が大きく揺れる。

左手に刻まれていた模様、それが変化していた。さっきまで現れていた十字架の両脇の下方に、短い線が斜めに入っていた。

「……ホ？」

間近で掌を見た森下が、かすれ声でつぶやく。たしかにそれは、カタカナの『ホ』に見えた。

「おいおい、どうしたんだ？　それじゃあ、十字架には見えないな。ありがたさも半減だ」

鷹央がおどけた口調で言うと、炎命は「なっ⁉」と自らの左掌を見る。その目が大きく見開かれた。

「ほら、隠してないでそれをみんなに見せてみろ。特に、あのバチカンの使者たちにな。そうしないと、奇蹟と認定してもらえないぞ」

鷹央に指さされたルッソは、「手、こちらに向けてください！　早く！」と指示を飛ばす。炎命は数秒躊躇《ちゅうちょ》するそぶりを見せたあと、左掌を二人に向けた。

「まあ、どんな形にしろ、これも聖痕には違いない。しかし、こうやって十字架以外の記号も出るとなると、もしかしたら他の場所にも浮き上がるかもしれないぞ。例えば……右の掌とかな」

鷹央は唇の両端を上げる。炎命は左掌を正面に向けたまま、自らの右掌を開いて見た。その顔が炙《あぶ》られた飴《あめ》細工のようにぐにゃりと歪む。鷹央が忍び笑いを漏らした。

「どうした？　なにか浮かんでいたのか？」

自分の掌を見つめたまま固まる炎命に近付いた鷹央は、その右手を両手で摑む。呆然自失の預言者は、ほとんど抵抗しなかった。鷹央は強引に炎命の右掌も正面に向けた。そこには、左手と同様に赤い文字が浮かんでいた。『ア』の文字が。

「ア……ホ……」

森下はあんぐりと口を開いた。僕も啞然《あぜん》と、この緊迫した場面には不似合いな二文字を眺める。背後でさきほどを遥かにしのぐざわめきが上がった。

「な、なんなんですか、これは!?　いったい何をしたんだ!?」

息も絶え絶えに、森下が叫んだ。

「だから、奇蹟のトリックを解いているんだよ」

「ふ、ふざけないでください！　預言者に、な、なんてことを……。いますぐ、私の教会から出て行ってくれ！」

「私の教会？　なにを言っているんだ？　教会は神の家だ。個人の所有物じゃない。それに私は、バチカンの使者から要請を受けてここに立っているんだぞ。それを、お前一人の判断で追い出せると思っているのか？ なあ、そうだろ？」

得意顔の鷹央に水を向けられたルッソは、大きく頷いた。

「はい、あなたはいまの現象について、説明する義務、あります。それは聖痕、ないですか？」

「ああ、これは聖痕なんかじゃない。れっきとした疾患、病気だよ」

「病気？ それ、病気です？」

「ああ、そうだ」

鷹央は言葉を切ると、一呼吸置いてから口を開く。

「接触性皮膚炎だ」

鷹央は手袋を嵌めている左手の人差し指を立てた。

「接触性皮膚炎は刺激物や抗原などが原因で、皮膚に湿疹性の炎症反応を起こす疾患だ。そして今回の場合の原因物質は金属、つまりは金属アレルギーだな」

「金属……ですか？」

聞き返すルッソに、鷹央は頷いた。

「クロム、コバルト、水銀、金など、様々な金属が人間に対してアレルギーを起こす。今回の場合は特にその頻度の高い金属、ニッケルが原因だ」

人差し指をメトロノームのように左右に振りながら、鷹央は気持ち良さそうに説明を続ける。

「ニッケルは汗に含まれる塩素イオンと反応して、ニッケルイオンを溶出する。それと人間の蛋白質《たんぱくしつ》が結合したものを抗原としてアレルギー反応が起きる。これがニッケルによる接触性皮膚炎だ」

滔々《とうとう》と語られる奇蹟の真相を、僕は呆然と聞く。ルッソは無表情で座ったままのコスタに耳打ちをしたあと、再び鷹央を見た。

「なぜあなた、ニッケルが原因、分かったですか？　それ、間違いないですか？」

「金属アレルギーが原因かもしれないと思ったのは、この預言者という男がはじめて教会に現れた際のことを聞いたからだ。激しい雨が降る夜、この男は教会の正面玄関にやってきた。そして息を乱しながら神父に向かって手を差し出すと、そこにゆっくりと十字架が浮かび上がった。そうだな」

鷹央に水を向けられた森下は、口を半開きにしたまま「は、はい……」と声を漏らした。

「私は先週、教会の正面玄関の辺りを調べた。すると、玄関脇に『田無保谷カトリック教会』と書かれた金属プレートが埋め込まれていた。そして、そのプレートには教会名の前に、十字架が彫られていた。ちょうど、掌サイズの十字架がな」

「じゃあ、その十字架、触れていたから……？」ルッソが訊ねる。

「そうだ。きっとこの男は深夜に食料でも探しているとき、急に天候が崩れ、雨を凌《しの》げる場所を探して走り回っていたんだろう。だからこそ、息が乱れていたんだ。そして教会なら雨宿りさせてもらえて、可能なら食べ物をわけてもらえるかもとインターホンを押した。その際、疲労困憊《こんぱい》のうえ空腹だったこの男は、玄関わきにあるプレートの十字部分に手をついて待っていたんだ。そして、走ったせいで掌にかいていた汗がプレートのニッケルと反応し、十字架の形の皮膚炎が起きたってわけさ」

鷹央は一息に説明をした。理路整然としたその説明に誰もが圧倒され、あたりは静まり返る。

「そんなわけない！」

甲高い声が沈黙を破った。見ると、森下が震える指を鷹央に向けていた。

「こじつけだ！　炎命先生の聖痕がアレルギーだっていう証拠でもあるんですか？」

「あるに決まっているだろ」鷹央はあっさりと言う。「協力者に頼んでプレートを少し削ってきてもらったんだ。その削りかすを研究施設で調べてもらったところ、表面がニッケルでメッキされていることが分かった」

協力者とは阿麻音のことだろう。合鍵を作るだけではなく、そんなことまでさせていたのか。本当に人使いが荒いな。呆れる僕の前で、鷹央は話し続ける。

「ニッケルアレルギーの可能性が高いと思った私は、それを証明するための小道具を作ることにしたんだ。これだ」

鷹央はバンザイでもするように、手袋を嵌めている両手を上げる。

「……手」森下の眉間にしわが寄った。

「ちがう、手袋だ。目には見えないが、この手袋はニッケルのメッキ液でコーティングがしてあるんだ。両手の親指と、右手の掌の部分にな。ちなみに、右掌には鏡文字でカタカナの『ア』って書いてある」

だから、炎命の両手に『アホ』という文字が浮かび上がったのか。手の込んだ真似《まね》を。

苦笑いする僕の隣で、鷹央は炎命の胸元を指さす。

「きっとそのローブにも、ニッケルのメッキ液が塗ってあるんだろう。十字架の形にな。奇蹟を見せるとき、祈るように額の前で両手を組む仕草。あれはまず掌に汗をかいたり、額の汗をぬぐって手に汗をつけるためのものだ。そしてローブの胸に仕込んだニッケルメッキに手を当てて皮膚炎を起こしたんだ」

そこで言葉を切った鷹央は、皮肉っぽく唇を歪めた。

「あと、これは私の予想だが、ローブに仕込んであるのはニッケルメッキだけじゃないだろ。たぶん袖の所になにか刺激物を仕込んでいるはずだ。すぐに涙を流せるようにな。メンソールかなにかかな……」

「そうだ！」

森下の叫び声が鷹央の説明を掻き消す。音に敏感な鷹央は両手で耳を覆った。

「なんだよ、話している途中に大声出して」

「涙です！ 炎命先生の奇蹟は聖痕だけじゃない、血の涙もあるんです。これも金属アレルギーで説明がつくって言うんですか？」

「それは、説明つかないな」

「やっぱりそうだ。やっぱり炎命先生は奇蹟を起こせるんです。あれは病気が原因なんかじゃないんだ」

森下の顔に、勝ち誇るような表情が浮かんだ。

「いや、ある意味、病気が原因だ」鷹央の声が低くなる。「接触性皮膚炎よりもはるかに危険な病気がな」

「なにを……言っているんですか？ いったい、炎命先生がなんの病気だって……」

森下の声が震える。鷹央を睨み続ける炎命の顔に、かすかに動揺が走ったように見えた。

「結核だよ」

鷹央は大きく両手を開いた。

「結核？　結核って、昔の文豪とかがよくかかっていた……？」

森下が眉をひそめると、鷹央は大きくかぶりを振った。

「たしかにBCGワクチンの接種と抗結核薬による治療の確立によって、結核による死亡数は劇的に減った。けれど、別に根絶されたわけじゃない。それどころか、近年は感染者が増加傾向にあり、毎年二万人が新たに発病し、二千人が命を落としている。結核は決して昔の病気なんかじゃないんだ」

「そ、それがどうしたっていうんです？　結核にかかったら、血の涙が出るんですか？」

「いや、別に結核菌に感染したからといって、血の涙が出るわけじゃない」

「じゃあ……」

前のめりになる森下の顔の前に、鷹央は左手を突き出し黙らせた。

「ただし、結核患者があたかも『血の涙』を流しているように見えることがある」

「どういうことです？」ルッソが口をはさむ。

「薬だ。結核を治療する際には耐性菌を作らないよう、複数の抗結核薬を使用するが、その中にリファンピシンという薬がある。結核菌に対する抗菌作用が強力なので使用頻度の高い薬だが、ちょっとした副作用がある。代謝産物が赤みを帯びているんだ。そのため、内服から一日程度は、代謝産物が体からの分泌物に溶け出して、赤く変色させることがある。尿、汗、唾液《だえき》、そして……」

鷹央はそこで言葉を切ると、再び左手の人差し指を立てる。

「涙だ」

礼拝堂内にひときわ大きなざわめきが走る。

「普通なら、うっすらと赤みを帯びる程度だが、体質によってはかなり濃い赤色に変色する場合もある。血液が滲み出しているように見えるほどにな」

「じゃあ、炎命先生は……」森下は荒い息をつく。

「天野康明《あまのこうめい》」

鷹央に指さされ、炎命の体が大きく震えた。

「天草炎命なんて名前じゃない。その男の本名は天野康明だ」

「なん……で？」

炎命、いや天野康明と鷹央に呼ばれた男は、食いしばった歯の隙間から声を絞り出す。

「なんでばれたか、か？　簡単だ。リファンピシンは基本的に結核以外には使用しない。それを内服していたとすれば、専門的な治療を受けているということになる。結核の専門病棟を持っている病院は決して多くない。だから、うちの研修医にお前の似顔絵を持たせて、それらの病院を片っ端から当たってもらった。そうしたら、すぐに見つかったよ」

　鴻ノ池に依頼したのはそれだったのか。もともとフットワークが軽いうえ、鷹央に恩を返そうと必死な鴻ノ池のことだ。さぞ精力的に聞き込みに当たったことだろう。

「お前は天野康明、五十四歳のホームレスだ。去年の十二月はじめ、路上で倒れているところを救急搬送され、レントゲンで結核が疑われた。その後、喀痰《かくたん》検査で結核菌が検出されたため、結核病棟に入院となった。二ヶ月間の入院治療を受け、結核菌の排出が認められなくなったんで、今年の二月九日に退院している」

　鷹央は固まっている森下に視線を向ける。

「そのあと、この男は市が斡旋《あっせん》した住居から消えている。おそらく路上生活に戻ったんだろう。しかし、入院による体力の低下からか十分に食べ物を確保できず、そのうえ雨に降られたので、この教会に助けを求めた。その際、情けなさからか人生を悲観してなのか、リファンピシンの代謝物により赤く変色した涙を流し、さらにニッケルのプレートを触って掌に十字架の模様が浮き上がった。それを見たお前は、それが奇蹟によるものだと思い込んでしまったんだ」

　鷹央は「証明終わり」とでもいうように左手を振った。あまりにも鮮やかに解明された奇蹟のトリック。圧倒され、言葉を失う僕を尻目に、鷹央は天野康明に近づくと、その顔を下からのぞき込む。

「お前も驚いただろう。いきなり神父が奇蹟だなんて言い出すんだから。けれど、神父の勘違いに気づいたお前は、それを利用する方法を思いついた。そして、神父と、ここに詰めかけている多くの人間を騙していったんだ」

「違う！　私には神の声が聞こえるんだ！」

天野は獣のように歯を剝く。

「たしかにお前には声が聞こえていたのかもな。けれど、それは神の声なんかじゃない。しかし、そんな状態でこれだけの人数を魅了していたなんて、ある意味、まさに奇蹟だよ。昔取った杵柄《きねづか》ってやつかな」

鷹央はどこか芝居じみたセリフを吐く。

「何を言って……？」

いまにも泣き出しそうな森下を横目で見ると、鷹央はウエストポーチから紙を取り出した。それは、新聞紙のコピーだった。

「これも、うちの研修医が調べてくれたものだ。そこにいる天野康明という男は、二十年前にねずみ講、いまでいうマルチ商法の主宰者として逮捕されているんだよ」

鷹央が掲げた紙には『ねずみ講主宰者逮捕　二億円以上を詐取《さしゅ》か⁉』という見出しが躍り、その脇に男の写真が載っていた。かなり若く、しかも髭が生えていないためはっきりはしないが、たしかにその写真の男には、天野の面影があった。

悲鳴のような声が礼拝堂のあちこちから上がるが、鷹央は気にすることなく喋り続ける。

「この天野康明という男の経歴、なかなか刺激的だぞ。ねずみ講で懲役二年の実刑をくらい、お勤めをはたして出所するが、その一年後に今度は覚醒剤《かくせいざい》の所持で逮捕される。どうやら、出所後に仕事がなくて、覚醒剤の売買に手を染めたが、売り物に手を付けて、自分が依存症になったらしいな。その後は、出所しては覚醒剤所持で逮捕のくり返しだ。最後に出所したのは去年の六月で、その際には『家に誰かが潜んでいる』と妄想で怯えるような状態だった。だからこそ、家に住むこともできず、ホームレスになったんだろうな」

鷹央は立て板に水と話し続ける。鴻ノ池が病院から得てきた情報、過去の事件の記事、そして成瀬刑事をはじめとした独自の情報網を駆使することにより、これほどまで詳しく、この偽預言者の素性を洗い出すことが出来たのだろう。

「覚醒剤を長期間摂取した者は、様々な妄想や幻覚に襲われる。中でも幻聴はよく認められる症状だ。お前が聞いていた『声』、それは覚醒剤精神病による幻聴だったんだよ」

顔を紅潮させる天野に、鷹央は流し目をくれる。

「しかし、それほど重度の覚醒剤精神病を発症しているにもかかわらず、ここまで多くの人を騙すとは、根っからの詐欺師だな。きっと神父の説明だけでなく、この教会にある様々な資料を見て勉強し、預言者とはどういったものなのか、どんな行動を取れば人々を魅了できるのか、頭を絞ったんだろう。その結果、あの『奇蹟』のパフォーマンスを作り上げ、バチカンが調べにくるまでになった」

話し疲れたのか、少し間を置いた鷹央は、最前列で固まっている羽村佐智に視線を送った。

「けれど、やっぱり判断力に障害が生じていたんだろうな。白血病の子供に治療を受けないように言うなんて。幻聴でそう言うように指示されたのか？　それとも、子供が死んだとしても、『お前の信仰が足りなかったからだ』とでも説明するつもりだったのか？」

鷹央は天野の胸を両手でつく。天野は後ろに二、三歩よろけた。

「ふざけたことしやがって。危うく、シャブ中のたわ言のせいで、九歳の子供が治療のチャンスを奪われて命を落とすところだったんだぞ。お前がやったことの責任を取ってもらうからな、覚悟しろ」

天野の顔が赤く変色しはじめる。突然、甲高い奇声を上げると、天野は震える拳を大きく頭上に掲げた。

「小鳥」

鷹央は動じることなくつぶやく。

この事態を半ば予想していた僕は、鷹央の前に素早く移動すると、振り下ろされる拳を左前腕で内側から跳ね上げて捌《さば》き、天野の足を払った。もんどりうって倒れた天野は、腰を床に叩きつける。

「さすがだ。こういうときだけは役に立つな」

鷹央は僕の背中を平手で叩いた。

「……こういうときだけで悪かったですね」

僕が口を尖らせると、「なんなんだよ！」と怒声が上がる。最前列に座る中年の男が、両手で頭を抱えていた。

「俺たちはその方を信じていたんだ。その方こそ、神の言葉を伝えてくれると……。それなのに、めちゃくちゃにしやがって。なんでほっといてくれなかったんだよ！」

支離滅裂なセリフ。神のように崇《あが》めていた男が、覚醒剤依存症の詐欺師だった。その事実に頭が、そして感情がついていかないのだろう。

「なんでと言われれば、一つは感染を防ぐためだな」

鷹央は首筋を掻く。男は「感染？」といぶかしげに聞き返した。

「そうだ。この天野という男は結核病棟を退院後、二ヶ月前に一度しか、外来を受診していない。本当ならもう、リファンピシンは足りなくなっているはずなんだ。けれど、いまだに血の涙を流せるところを見ると、奇蹟のパフォーマンスをするときにだけ内服していたんだろう。ちゃんと結核治療をしていなかったということだ。症状が悪化して、結核菌を周りにまき散らしている可能性がある」

男は青くなって黙りこんだ。鷹央は鼻を鳴らすと、尻餅《しりもち》をついている天野を睥睨《へいげい》する。

「さて、なにか反論はあるか？」

「悪魔だ！」

唐突に、天野が鷹央を指さした。鷹央は「ああ？」と顔をしかめる。

「お前たちは悪魔だ。そうやって人々をたぶらかしているんだ。騙されるな！」

「たぶらかしてるのはどっちだよ」鷹央は鼻の付け根にしわを寄せた。

「この二人を捕まえろ。この二人を逃がすな！」

腰を押さえて床に倒れこんだまま、天野は叫び続ける。

これは、やばくないか？　僕は参加者たちを見回す。ここにいる多くの者は、ほんの数分前まで天野を預言者だと、神の代弁者だと信じて疑わなかった。もしかしたら、自分たちが詐欺師に騙されていたという事実から目を逸らすために、天野の言葉に従うかもしれない。

「私を信じろ。これは神がお与えになった試練だ。神の御意志に従うのだ」

この期に及んで、神の名を口にする天野に虫唾《むしず》が走った。僕が表情を歪めていると、最前列に座っていた男の一人がゆっくりと立ち上がった。数人の男が躊躇いがちにそれに倣《なら》う。

やる気か？　僕が身構えたとき、声が響き渡った。

「やめなさい！」

いつの間にかルッソが立ち上がっていた。男たちは一斉に彼女を見る。

「ここは神の家、暴力ゆるさない、言ったはずです！」

ルッソはその碧色の目で、立ち上がっている男たちを見据える。男たちは叱《しか》られた子供のように顔を伏せた。ルッソは再びコスタと小声で何かを話すと、礼拝堂を見回す。

「バチカンの奇蹟調査官、コスタ神父の判定、下りました。天草炎命の聖痕と血の涙、二つとも奇蹟ありません。その女性の言ったとおり、トリックです。その男、預言者ちがう。たんなる詐欺師です」

それほどの声量があるわけではないにもかかわらず、ルッソの声はよく響いた。礼拝堂内が静寂に包まれ、ルッソに注がれていた無数の視線がゆっくりと、へたり込んでいる天野に注がれていく。

天野は「ひっ！」としゃっくりのような悲鳴をあげると、這《は》うようにして脇にある扉に近付き、出て行ってしまった。

「あっ、待て！」

僕は天野を追おうとする。しかし、鷹央が「行かなくていい」と僕のジャケットの裾を摑んだ。

「なんでですか？　逃げられちゃいますよ」

「あんな男ほっとけ。捕まえたところでなんにもならない。もう目的は達したさ。ほら」

鷹央は軽くあごをしゃくる。見ると、参加者の大部分が、魂が抜けたような表情になっていた。突きつけられたあまりにも衝撃的な真実に、思考が停止しているのだろう。

「じゃあ行くぞ」

鷹央は身を翻し、中央の通路を戻りはじめた。

「えっ、いいんですか？」

僕は羽村佐智の様子を窺う。彼女は焦点を失った目で宙を眺めていた。

「いいんだ。いまは何を言っても聞こえない。それより、まずやるべきことがある」

鷹央は左手の人差し指をくいっと動かして僕を促す。僕はしかたなく、鷹央とともに礼拝堂を出た。

教会をあとにした僕たちは、三百メートルほど離れたところにある駐車場へとやってきた。

「とりあえず、保健所と成瀬に電話だ」

「え？　保健所は結核の件ですよね。でも、なんで成瀬さんに電話するんですか？　あの預言者を詐欺で逮捕してもらうとか？」

「馬鹿、詐欺じゃない。覚醒剤だよ。覚醒剤精神病で幻聴が聞こえていたような奴だぞ。取り巻きをだまして得た金で覚醒剤を買っていた可能性は高い。あいつが寝泊まりしていた部屋を探れば、きっと見つかる筈《はず》だ。分かったら、さっさと電話をしろって」

「あっ、はい」

僕は指示通り保健所と成瀬に電話をして事情を説明する。それを終えたとき、駐車場に二人の男女が姿を現した。コスタ神父とルッソ、バチカンから奇蹟の調査に来た二人組だった。

いったい何の用だろう？　それに、なんかルッソはもっと小柄だった気が……。僕が首を捻っていると、鷹央は二人に近づいていった。

「何しに来たんだよ。もう用はないはずだろ」

「しかたがないでしょ。この人があなたに挨拶《あいさつ》したいって言ってきかないんだから」

ルッソは面倒くさそうに答える。その口調は流暢《りゅうちょう》で、さっきまでたどたどしい日本語で話していた人物とは思えなかった。

「え？　お二人って知り合いなんですか？」

「あら、まだ気づいていなかったの」

ルッソは頭にかぶっていたフードを取り去る。金髪の髪がふわりと揺れ、フードのせいではっきりとは見えなかった顔が露《あら》わになる。透き通るように白い肌、碧色の目、長いまつ毛。それを見て、胸の中でなにかが引っかかる。

ルッソは両手を頭に持っていくと、僕を見て小悪魔的な笑みを浮かべた。

「小鳥遊先生、もう少し観察力をつけた方がいいわよ」

次の瞬間、金髪の髪が取れ、その下から黒髪が現れた。次に彼女は、目から碧色のカラーコンタクトレンズを外すと、ローブの中からハンカチを取り出し、ごしごしと顔を拭《ふ》きはじめる。

「阿麻音……さん……？」

僕はあんぐりと口を開ける。いつの間にか、目の前に立つのはバチカンから遣わされた外国人女性から、先々週僕の股間を蹴りあげた女詐欺師に変わっていた。

「化粧一つで女は変わるもんでしょ。教会の人たちも全然気づいていなかった」

得意げに言う杠阿麻音に、鷹央は一瞥をくれる。

「なにが化粧一つだ。ファンデーションで肌を白く見せただけじゃないだろ。ウィッグにカラーコンタクト、眼鏡を外して、身長も小さく見せていた。そのうえ、鼻や口の形も微妙に変えていただろ」

「そう、小柄に見せようとして、ローブの中でずっと膝を曲げて歩いていたのよ。もう足がぱんぱん。鼻と唇は特殊メイク用の道具で少しいじってみたの」

阿麻音は羽織っていたローブを脱ぐ。その下からはセーターにジーンズというラフな服装が現れた。もはやバチカンの使者の面影はどこにもない。

「じゃ、じゃあ、そちらの方は……」

僕がつぶやくと、コスタ神父と名乗っていた男は僕には分からない言語で喋りつつ、満面の笑みを浮かべて鷹央に近付いていく。その姿は、さっきまで無表情で佇《たたず》んでいた男とは思えなかった。

鷹央は仏頂面で、これまた僕には理解できない言葉を男に返す。男は一転して哀しげな表情になる。

あれ、この光景、どこかで見た気が……。

「大変だったわよ。この人、あまり英語も喋れなくて、なかなかコミュニケーション取れないから。それなのに、教会に入るまで私のこと何度も口説こうとするしさ」

阿麻音はため息を吐く。

「あの、この方は……」僕はおずおずと訊ねる。

「忘れたのか、今年の二月に外来を受診した患者の一人だよ。ほら、家族性地中海熱の」

それを聞いて思い出す。あの『人混みで体が腐る男』の謎を解いた頃、統括診断部の外来を受診したイタリア人の男だ。

「え？　それじゃあ、バチカンの使者っていうのは……」

「そう、私が準備した偽物だよ。それっぽく見えるように、この男に協力を依頼したんだ。診断の件で感謝していたから、簡単に手伝ってくれたぞ。そもそも、バチカンの奇蹟調査は、数年待ちが当たり前だ。依頼したからって、すぐに来てくれるわけがないだろ」

「でも、私がバチカンの代理人を名乗って電話したら、森下神父、簡単に信じてくれたわよ。あの偽預言者を信じ切って、周りが見えなくなっていたんでしょうね」

阿麻音が鷹央の説明を補足する。

「なんでそんなことを……」僕は頭を押さえる。

「バチカンの権威が必要だったんだよ」

鷹央はいつものように、左手の人差し指を立てて説明をはじめた。

「よく考えてみろ。あの礼拝堂にいたのは、偽預言者の熱心な信奉者たちだ。ただ乗り込んでいったんでは、つまみ出されるのがおちだ」

たしかに、『バチカンの使者』が認めたからこそ、鷹央は天野に近付き、奇蹟のトリックを暴くことができた。

「それに、信奉者たちは完全な洗脳状態だった。私がただ単に理路整然と奇蹟のタネについて説明し、その証拠を示したとしても、信じない可能性があった。それどころか、暴力で私たちを黙らそうとする可能性もな。けれど、『バチカンの使者』がお墨付きをくれたとなれば話は別だ。その圧倒的な権威によって洗脳が解けると思ったんだ」

そして、計画通りになったというわけか……。そこまで考えたとき、僕はふとあることに気づく。

「鷹央先生、ちょっと訊きたいんですけど、奇蹟のトリックにいつ気づきました?」

「いつ?　先週はじめて見たとき、すぐに見当はついたぞ」

「じゃあ、今日まで待ったのは……」

「あの男が結核であることを確かめたり、小道具を集めたり、この二人と打ち合わせしないといけなかったりしたからだよ」

謎は解けているのに、準備が整うまでそれを暴くことができず、その間にもタイムリミットは近づいていた。だからこそ鷹央はこの数日間、焦り、苛立っていたのか。

いまになって思えば、普段の鷹央ならあの奇蹟が本物である可能性も考慮していたはずだ。けれど今回は、一貫してトリックである前提で話をしていた。それは、一目見てすぐにそのからくりに気づいたからだったのだろう。

「あと、一つだけ分からないことがあるんですけど……」

僕が訊ねると、鷹央が「なんだよ？」とぶっきらぼうに答える。

「なんで、この二人が偽物だってこと、前もって僕に教えてくれなかったんですか。教えてもらっていれば、いろいろと心の準備ができたのに」

「そりゃあ、お前はすぐ顔に出るからに決まっているだろ。それに……」

鷹央は意地の悪そうな笑みを浮かべる。

「黙っていた方が、お前の反応が面白いからな」

「……さいですか」

そんなことだろうと思っていたよ。僕は唇を歪める。

「それじゃあ、私の仕事はこれで終わりね」

阿麻音は身を翻す。コスタ神父を名乗っていた男も、鷹央に何か言うと、笑顔で手を上げて離れていった。

これでとりあえず解決か。僕が一息ついていると、駐車場から出る寸前で阿麻音が振り返った。

「あとのこと……任せたわよ」阿麻音は硬い声で言う。

「ああ、任せておけ」

鷹央が重々しく頷くのを確認して、阿麻音は駐車場から姿を消した。

「あとのことってなんですか？　もう事件は解決したんじゃ……」

つぶやく僕に、鷹央が鋭い視線を向けてくる。

「なに言っているんだ。これからが本当の勝負だろ。行くぞ」

「行くって、どこに？」

「教会に決まっているだろ」

鷹央は大きく足を踏み出した。


教会に戻った鷹央は、そのまま礼拝堂へと向かう。これからなにが起こるのか分からないまま、僕はその後ろについて行った。礼拝堂に入ったところで鷹央は足を止める。

「……やっぱり、いたな」

礼拝堂には二人の男女が残っていた。この教会の神父である森下と、羽村里奈の母親、羽村佐智。他の参加者たちは姿を消している。

二人は少し距離をあけて長椅子に腰掛け、虚ろな目で床を眺めていた。

自らが見出《みいだ》した預言者が偽物だと知った神父と、娘が助かるという神託が詐欺師のたわごとだと知った母親。特に精神的なダメージの大きいこの二人だけが、動くことができずにいるのだろう。

鷹央は二人に近づくと、背中を丸めて座り込んでいる森下に声をかける。

「明日、保健所から職員がやって来て、今後の対応について指示を出すはずだ。あと、もうすぐ田無署から刑事が来るから、偽預言者の部屋を見せてやってくれ。覚醒剤がないかどうか調べる」

立ち上がった森下は、ふらふらと左右に揺れながら鷹央に近づく。慌てて前に出ようとした僕の動きを、鷹央が横に手を出して制した。

「……なんで」鷹央の前で森下は崩れ落ちる。「なんであんなことを……?」

「詐欺師にずっとだまされ続けた方がよかったか? あの男は、あろうことか神の名を騙《かた》り、信者たちをだましていたんだぞ。そんなことが赦されると思っているのか?」

「赦されません……。そんなこと赦されるわけがありません。けれど……」

森下は恨めしそうに鷹央を見上げる。

「あの人を信じている間、私は自分の信仰に自信が持てた。神の従僕として生きることに疑いを持たずにすんだんです」

「私は宗教家ではないから、なんて答えるべきなのか分からない。ただ、個人的には、あの偽預言者が言っていたことで一つだけ正しいことがあると思う」

「正しいこと？」森下は縋りつくように言う。

「科学と違い、信仰というのは疑うことではなく、信じることからはじまるものだ。お前は預言者の奇蹟という目に見えるものに縋った。だが本当にするべきは、神の存在を示す証拠を探すことではなく、自分自身と向き合い、進むべき道を探すことじゃないか」

森下は唇を噛むと、苦悩に満ちた表情で黙り込んだ。鷹央は無表情で森下を見下ろし続ける。

「たしかに……」

たっぷり三分は黙り込んだあと、森下は躊躇いがちに沈黙を破った。

「たしかに、あなたの言う通りかもしれません。私は楽な道を見つけようとしていたのかも」

立ち上がった森下は、礼拝堂の正面にある、十字架にかけられたイエス・キリストを描いた巨大なステンドグラスを見上げる。

「だからこそ炎命せん……、あの男の掌に浮かび上がった十字架を見て、それが奇蹟だと思い込んでしまった……」

気持ちを落ち着けるように、森下は大きく息を吐いた。

「まず、あの男にだまされた方々に、謝罪しないといけませんね。私があの男を預言者に祭り上げてしまったんですから。そして、皆さんに赦してもらえたら、そのときは、自分の信仰に向き合ってみます」

「ああ、そうだな」

かすかに口角を上げた鷹央は、いまも俯いて座っている佐智に近づいていく。いまになって僕は、鷹央が口にした「これからが本当の勝負」という意味を理解していた。

たしかに、あの預言者が詐欺師であったことは証明できた。しかし、それだけでは意味がないのだ。佐智に骨髄移植の同意をさせてはじめて、この作戦は成功と言える。

僕は緊張の表情を浮かべる鷹央を見る。他人の気持ちを読み取るのが苦手な鷹央は、説得を苦手としている。相手の反応に合わせて硬軟織り交ぜて話を進めていくことが上手くできないのだ。だからこそ普段、統括診断部では患者へのインフォームドコンセント（治療方針について説明し同意を得ること）は僕が行なっていた。

けれど、今日は鷹央にすべてを任せるつもりだった。僕とともに働きだしてからのこの十ヶ月で鷹央は、医師として、そして人として成長してきた。それに、羽村里奈を救いたいという気持ちは、人一倍強いはずだ。きっと佐智を説得してくれる。そう信じていた。

「……どうすればいいの？」

焦点のぼやけた目を床にむけたまま、佐智は蚊の鳴くような声でつぶやく。

「これから、私はどうすればいいの……」

「里奈の治療について考えるんだ。骨髄移植を受けるのかどうか」

鷹央は椅子に腰掛けたままの佐智を見下ろし、淡々と答えた。

「炎命先生が助かるって言ってくれたのに！　里奈は助かるはずだったのに！　それなのにあなたのせいで……」

佐智は両手で顔を覆うと、嗚咽《おえつ》を漏らしはじめる。いまだにあの男を『炎命先生』と呼ぶ佐智。奇蹟を起こし、一人娘が治ると保証してくれた男が偽物だったという事実を、まだ受け入れられずにいるのだろう。

「あの男は神の使いでもなんでもない。たんなる詐欺師だ」

鷹央は容赦なく真実をぶつけていく。

「なんの権利があって、あなたは炎命先生を追い詰めたの。里奈を助けてくれるはずの人を……。なんであんなことを……」

佐智は勢いよく顔を上げると、充血した目で鷹央を睨みつけた。鷹央が炎命から力を奪った。混乱して、そう感じているのかもしれない。

鷹央は殺気すらこもった視線をまっすぐに受け止めると、ゆっくりと口を開く。

「里奈を助けたいからだ」

佐智の体が大きく震えた。鷹央は淡々と言葉を続ける。

「あの男は適当なことを言っていただけだ。あの詐欺師の言葉を信じて治療を受けなければ、お前の一人娘は間違いなく数ヶ月以内に命を落としていた。私が正体を暴こうが暴くまいが関係なくな」

佐智は唇を固く噛む。きっと頭では理解しているのだろう。自分がだまされていたことを。しかし、感情が受け入れることを許さない。

「じゃあ、じゃあ私はどうすればいいのよ！　どうすれば里奈を助けられるっていうの！」

「助ける方法はただ一つ、骨髄移植をすることだ」

「骨髄移植を受ければ、里奈は確実に助かるっていうの？　あなたは保証できるの？」

ヒステリックに叫ぶ佐智の前で、鷹央は首を横に振った。

「保証はできない。ただ病状から見て、統計的に完治する可能性は十分にある」

「統計的？」佐智は大きく舌を鳴らす。「これまでも言われた。『統計的に、治療を受ければ治る可能性が高い』って。けれど、二回とも再発したのよ。あんなに苦しい治療を受けたのに！」

「……そうだな」

「炎命先生は統計なんて言わなかった。絶対に治るって保証してくれたの！」

「けれど、それは覚醒剤依存症の男のたわ言だ」

残酷な指摘に、佐智の顔に笑っているような、それでいて泣いているような表情が浮かんだ。その痛々しさに、僕は目を背けそうになる。

「骨髄移植に同意するべきだ。それ以外に、里奈を救う方法は残されていない」

「私はもう……あなたたちの、医者の言葉を信じられません。……もう、私は誰とも里奈のことについて相談することができないんです」

佐智は弱々しくつぶやく。医療不信に陥り、そして頼った預言者に裏切られた佐智。どうすれば、そんな彼女の心を開けるのか、僕には分からなかった。

「お前が相談できる相手、相談するべき相手が一人だけ残っているぞ」

「……誰ですか？」

佐智の目には、強い反感と、そしてわずかな期待が籠っていた。

鷹央は一呼吸間《ま》を置くと、かすかに微笑んだ。

「羽村里奈、お前の娘だ」

「里奈……？」佐智はいぶかしげに聞き返す。

「そうだ。里奈とよく話をするべきだ。あの子がどうしたいのか。そして治療をどうするのか」

「なにを言って……、あの子はまだ九歳ですよ！」

「まだじゃない。もう九歳だ。しっかりとした自我があり、そして自分の病気について十分に理解している。あの子の希望を聞くべきだ」

「でも、これまで以上につらい治療をしないと死ぬなんて、あの子に言えるわけが……」

佐智は喘ぐように言う。

「里奈は強い子だ。大人が思っている以上にな。少なくとも、お前がいまいるべきなのはここじゃない。神に祈るのは悪いことじゃない。けれど、娘のそばでも祈ることはできるはずだ」

そこで言葉を切った鷹央は、佐智に顔を近づける。

「里奈にとって、母親は一人だけだ。だから、そばにいてやってくれ」

佐智の顔の筋肉が細かく痙攣する。やがて、その目から大粒の涙がこぼれだした。

「病院まで送ろうか？」

佐智の震える背中に鷹央が手を置く。佐智はしゃくりあげながら頷いた。

深夜の小児科病棟ナースステーション。僕、鷹央、熊川、そして鴻ノ池の四人は硬い表情でテーブルを囲んでいた。さっきから誰も口を開かない。息苦しさをおぼえ、僕はシャツの襟もとに手をやった。

二時間ほど前、僕と鷹央は佐智を、里奈の病室まで送っていった。

羽村親子が話し合いをはじめたと連絡を入れると、主治医である熊川と、どこから噂を聞きつけた鴻ノ池が病棟に姿を現した。そうしてこの二時間、佐智の最終的な決定を待ち、ナースステーションで待機しているのだ。

「話し合い、……どうなってますかね？」

沈黙に耐えきれなくなったのか、鴻ノ池がおずおずと言う。

「分からないな」

緊張を誤魔化すためか、難しい顔で小説を読んでいた鷹央が、文庫本を机の上に置く。

「ただ待つだけってつらいんですよね。なにかできることありませんかね？」

「いまできるのは、祈ることぐらいだな」

「ですよね」

鴻ノ池は目を固く閉じると額の前で両手を合わせ、ぶつぶつと小声でつぶやきはじめる。僕も思わず目をつぶり両手を組んでしまう。いまは神を求める気持ちが痛いほどに理解できた。そのとき、かすかに足音が聞こえた。瞼《まぶた》を上げると、ナースステーションの外に羽村佐智が立っていた。

「羽村さん……。それで、どうなりましたか……」

立ち上がった熊川が、緊張した声で訊ねる。

佐智はゆっくりと、こちらに近づいてきた。僕たちは固唾を飲んで、佐智の言葉を待つ。気持ちを落ち着かせるように胸に手を当てた佐智は、深々と頭を下げた。

「骨髄移植を……やってください。どうかお願いいたします」

僕は息を吞む。鴻ノ池は両手を口に当て、そして鷹央は猫のような目を大きく見開いた。

「いいんですね？　一度治療を開始すれば、途中で止めることはできませんよ」

熊川が念を押すと、佐智は迷いを振り払うように大きく頷いた。

「里奈が言ったんです。どんなにつらくても頑張って病気を治すって。体を治して学校の友達と遊ぶんだって。そして、大人になったらケーキ屋で働くんだって。だから……、私も覚悟を決めました」

「そうですか……。承知しました。それでは、これから同意書を作りますので、それにサインをお願いいたします。鴻ノ池ちゃん、悪いけれど骨髄移植の計画書と、あと移植の申請に必要な書類を準備してくれないか。明日の朝一で骨髄バンクに連絡を入れるから」

熊川に指示された鴻ノ池は「はい！」と元気よく答えると、小走りで書類を取りに行く。

お前、いま小児科じゃなくて皮膚科回っているんじゃ……。

僕が呆れていると、隣に立っていた鷹央が「行くぞ」と声をかけてきた。

「え？　もういいんですか？」

「あとは小児科の仕事だ、私たちに出来ることはないからな」

鷹央は大きく息をつくと、ナースステーションを出る。その顔には疲れが色濃く滲んでいた。緊張が解け、一気に疲労に襲われたのだろう。

奥のテーブルで熊川から骨髄移植についての説明を聞いている佐智が、僕らに会釈をしてくる。その表情は、憑《つ》き物が落ちたかのように穏やかだった。

病棟の出口へ向かおうとした僕は、ふと廊下の奥に立っている人影に気づいた。

「先生」鷹央の背中をつつく。

「なんだよ？」

振り向いた鷹央に、僕は廊下の奥を指さす。そこにはパジャマ姿の羽村里奈が、いたずらっぽい表情でこちらに手を振っていた。鷹央の顔に柔らかい笑みが広がっていく。

「しかたない奴だ。とっくに消灯時間は過ぎているのにさ」

鷹央は里奈に背を向けながら軽く左手を上げる。その瞳がかすかに潤んでいることに、僕は気づかないふりを決め込んだ。

エピローグ

「今日、里奈《りな》ちゃんの骨髄移植ですね」

偽預言者《にせ》の正体を暴《あば》いてから二週間ほど経《た》った平日の朝、外来がはじまる前に統括診断部の医局、つまりは鷹央《たかお》の〝家〟で僕は電子カルテを見ていた。

「まあ、骨髄移植自体はたんに造血幹細胞を静脈から投与するだけだから大したことないが、前処置によく耐えたな。あとは造血幹細胞が生着して、新しい血球細胞を作るのを待つだけだ」

朝食のカレーを食べていた鷹央は、スプーンを振りながら言う。

「カレーが飛ぶからやめてください。けれど、とりあえずいまのところは順調ですね」

先週、里奈に対して大量の抗癌剤《こうがんざい》と放射線による骨髄移植前処置が行なわれた。かなり体に負担のある処置だが、里奈はそれに耐え、大きな合併症もなく移植を開始することができていた。

「そう言えば、森下《もりした》神父から感謝のはがきが届いていますよ。いまは、教会を再開しようと頑張っているらしいです」

田無署の成瀬《なるせ》が偽預言者の住んでいた部屋を調べたところ、鷹央が予想した通り覚《かく》醒剤《せいざい》が見つかった。そしてその二日後に、天野康明《あまのこうめい》は近くの公園にいるところを逮捕された。その後、天野は病院に搬送され結核の検査を受けたが、幸いなことに結核菌の排出は確認できず、集会者たちが感染している可能性はほとんどないということだった。

「しかし、すったもんだはありましたけど、すべて上手《うま》くいきましたね」

「まだ上手くいったかは分からないだろ。里奈は完治したわけじゃないんだ」

鷹央は不安げな顔でカレーを口に運ぶ。僕は立ち上がると、グランドピアノの上に置かれている野球帽を手に取り、鷹央の頭に置いた。

「なんだよ?」鷹央は不満そうに帽子のひさしを上げた。

「きっと、大丈夫ですよ」

「なんでそう言い切れるんだよ」

「森下神父に言ったでしょ。まずは疑うより信じることが大切だって」

「あれは信仰の話だ。宗教と医学は違う」鷹央は唇を歪《ゆが》める。

「同じですよ。僕たちは里奈ちゃんを助けるために全力を尽くした。最善を尽くしたんだから、あとは信じて待つことが大切なんですよ」

鷹央は数秒考え込んだあと、唇の端を上げた。

「そうかもしれないな」

「ええ、きっとそうです」僕は野球帽を指さす。「鷹央先生の頑張りを見て、健太君《けんた》も喜んでいますよ」

「まったく、医者ならもう少し科学的なことを言えって。宗教に影響を受けすぎるのも問題だぞ」

そう言いつつも、鷹央の顔はどこか嬉《うれ》しそうだった。

「人が死んだらどうなるかっていうのは、いまのところ宗教の世界じゃないですか。僕は思うんですよ。健太君はきっとどこかで鷹央先生の活躍を見ていて、喜んでいるって」

「そうか……。そうだといいな」

鷹央は頭に載った帽子を両手で摑《つか》むと、顔の前に持っていく。

「佐智《さち》さんを説得する先生とか、格好良かったですよ。思わず聞き入っちゃいました」

「……うるさいな、あれが治療に同意させるのに一番いい方法だと思っただけだよ」

鷹央は照れ隠しなのか、再び帽子を深くかぶって顔を隠す。

「いえいえ、それだけじゃない迫力がありました。圧巻でした」

いつもからかわれている仕返しに、僕はさらに褒めてみる。鷹央はどう反応していいのか分からないのか、視線を泳がせていた。

「そ、そうだ小鳥《ことり》。お前、ちゃんと泌尿器科《ひにょうき》行ったのか？」

「……あ、すみません。もうやめます」

どうやら藪蛇《やぶへび》だったようだ。

「やめますじゃなくて、ちゃんと行ったのかどうか訊《き》いているんだ」

「いや、行っていませんけど……、もうかなり経ったし……」

「時間が経ったから大丈夫とは限らないだろ。分かった、私が紹介状を書いてやる。同期に泌尿器科に行った女性医師がいるんだ」

鷹央は野球帽をローテーブルに置くと、電子カルテの置かれたデスクに近づいていく。

「あっ、ちょっと待って。マジでやめてください。紹介状書かれたら、本当に受診しないといけないから。特に、女性医師は……」

「だからちゃんと受診しろって言っているんだよ。こら、放せ」

「いてっ⁉　引っ掻《か》くことないでしょ」

爪《つめ》を立てられた手を押さえて文句を言いながら、僕はふとテーブルに置かれた野球帽を見つめる。

一瞬、そこに三木《みき》健太が屈託のない笑みを浮かべて立っている気がした。

そう健太君はきっとどこかで、鷹央の頑張りを見ていてくれた。そして、鷹央も今回の件で、また一歩前に進めるはずだ。僕はそう信じていた。

顔をほころばせた僕は、電子カルテの前に座った鷹央を止めに向かう。

カーテンの隙間《すきま》から差し込む初夏の日差しが、柔らかく部屋を照らしていた。

詐欺師と小鳥遊

天久鷹央の日常カルテ

なんでこんなことになっているんだろう……？

「は、はじめまして。小鳥遊優《たかなしゆう》です。内科医をしています」

背中に冷たい汗が伝うのを感じながら、僕は震える声で自己紹介をする。

「なんだよ、小鳥遊。それだけかよ？」

隣に座っている諏訪野良太《すわのりょうた》が、いつも通りの軽い声を上げた。

「ま、まあ……」僕はうつむいたまま曖昧に答える。

「ごめんね、みんな。なんか緊張しちゃっているみたいでさ。けど、めっちゃいい奴《やつ》で、俺の親友だからみんな仲良くしてやってね」

場の空気が悪くならないように、諏訪野が盛り上げてくれる。

『神秘のセラピスト事件』が解決してから数週間が経《た》った金曜の夜、毎週恒例の救急部での勤務を終えた僕はそそくさと病院をあとにして、銀座の個室ダイニングバーへとやってきていた。

先週、諏訪野に誘われた異業種交流会、つまりは合コンのために。

天医会《てんいかい》総合病院に出向してからというもの、（上司と付き合っているという噂《うわさ》をどこかの研修医に流されたせいで）恋愛関係はからっきしだ。このチャンスを逃す手はなかった。

外で男性陣四人で待ち合わせしたあと、会場であるダイニングバーへと向かった。諏訪野以外の二人は証券会社と商社に勤めているビジネスマンで、僕とは初対面だ。

会場であるダイニングバーの個室に入った瞬間、僕は息を呑《の》んだ。四人いる女性陣が全員、想像よりもはるかに容姿が整っていたからだ。

特に一番手前でにこにこと屈託ない笑みを浮かべている、少しだけ茶色が入った髪をソバージュにした長身の女性は、可愛《かわい》らしさと美しさが絶妙のバランスで、思わず見惚《みと》れてしまうほどだった。

「湊川《みなとがわ》瑠璃子《るりこ》です。都内の商社で受付をしています」

そう自己紹介しながらはにかむ彼女に見つめられた瞬間、僕のテンションは最高潮に達した。

今日、来てよかった。諏訪野に感謝しないと。

恋のはじまりの予感に体温が上がっていくのを覚えた僕は、ふと一番奥に座っている女性を見て、違和感を覚えた。

長い黒髪の眼鏡の女性。かなりグラマーで少しボタンを外したシャツの襟元からわずかに胸の谷間が覗《のぞ》いているが、どこか野暮ったい雰囲気を纏《まと》っているため艶っぽさはあまり感じない。

ナチュラルメイクが施された顔は整っているが、どこか自信なさげで、そのアンバランスさが不思議な魅力を醸し出していた。

この女性を知っている気がする。しかも、最近どこかで見たような……。

僕が必死に記憶を探っていると、その女性はちらりと僕に視線を向けてきた。同時に頭の中で記憶が弾《はじ》け、富士山の頂上に匹敵する高さまで舞い上がっていた僕のテンションは、駿河《するが》湾の底に匹敵する低さまで落ちたのだった。

数分前の出来事を思い出していると、僕のテンションを深海深くまで引きずり込んだ人物の自己紹介の順番が回ってきた。

「国際線のキャビンアテンダントをしています、よろしくお願いします。名前は杠《ゆずりは》阿麻音《あまね》と申します」

優雅に一礼すると、詐欺師は柔らかく微笑《ほほえ》んだ。


「こんなところでなにをしているんですか？」

詰問すると、阿麻音は黒髪の毛先をつまんで顔の前に持ってくる。

「なんか、髪傷んでいる気がするなあ。見てよ。ほら、枝毛になってる。美容室、変えようかな？」

「杠さん！」

「はいはい、そんな大きな声を出さなくても聞こえるって」

阿麻音はひらひらと手を振った。

合コンがはじまってから三十分ほどしたところで、阿麻音は「ちょっと化粧直しに行ってきます」と、僕に軽く目配せをして席を立った。それに気づいた僕は、ポケットからスマートフォンを取り出すと「ちょっと病院から連絡が……」と言って、部屋から出た。そして、部屋の外で待っていた阿麻音とともに、廊下の奥へと移動したのだった。

「別に私が合コンに参加したっておかしくないでしょ。なにをそんなに興奮しているの？」

阿麻音は眼鏡の奥の目を、いたずらっぽく細めた。

「詐欺師が知り合いの合コンに参加しているんだから、警戒しているんですよ」

「だから、何度も言っているじゃない。私は詐欺師なんかじゃないって。困っている人を見つけて、その人の苦しみの根源を私の能力で取り去っているの」

「適当に暗示をかけて、プラセボ効果で治った気にさせて、大金を奪っているだけじゃないですか」

「お仕事をしたら、『お客様』から報酬を頂くのは当然でしょ」

悪びれる様子もなく、阿麻音は言った。

「で、この合コンにも『お客様』を漁《あさ》りに来たっていうわけですか？」

「まあ、そんなところ。あと医者とは仲良くしておいて損はないのよ。直接、『お客様』にならなくても、私の仕事に有益な情報を提供してくれるかもしれないしね」

「しかし、なんなんですかその変装は？　だいぶ雰囲気を変えましたね」

「顔は清楚《せいそ》っぽいのに、体はエロい女が医者には受けると思ってね。医者なんてみんな変態ばっかりだから」

「偏見です！」

抗議すると、阿麻音の顔にいやらしい笑みが広がっていく。

「とかなんとか言って、小鳥遊先生がちらちらと私の胸を見ていたこと、気づいているんだからね。よかったらちょっと触ってみる？　ちなみに、めちゃくちゃ盛っているから、パッドの感触しかしないけどさ」

けらけらと笑う阿麻音を前にして、脱力感が湧いてくる。

「……もしかして、相手の女性たち、みんな同業者ですか？」

僕が訊《たず》ねると、阿麻音は唇の端を上げた。

「安心してよ。他の三人は無関係。と言うか、幹事の子以外の二人は今日がお互い初対面よ。幹事の子がどうしても医者と合コンしたくて、手あたり次第、知り合いに連絡をしてメンバーを集めたの」

「それは良かった」

安堵《あんど》の息を吐く僕に、阿麻音はすり寄ってくる。

「ねえ、ここは顔なじみどうし、協力するっていうのはどう？　あなたの友達を『お客様』にはしないから、私の『お仕事』のことを友達に伝えるのはやめてくれない」

「あなたと協力して、僕になんの得があるんですか？」

「狙っている女の子と、良い雰囲気にしてあげるわよ」

挑発的な笑みが阿麻音の顔に浮かんだ。

「狙っているって、なんのことですか？」

声が上ずってしまう。

「私はコールドリーディング、つまり無意識に生じている身体《からだ》のわずかな変化を読み取って、相手の心理を推察する名手だって知っているでしょ。そんな私を、あなたみたいな単純な男がごまかせると思っているの？　あなたはあの湊川瑠璃子って子を狙っている。あわよくば、今晩、お持ち帰りできたらなと思っている」

「そこまで思っていません。連絡先を交換できて、後日一緒に食事でもできたらって思っているだけです！」

思わず声が大きくなってしまった僕の前で、阿麻音は勝ち誇るような表情を浮かべた。

「冗談よ。ヘタ……お人好《ひとよ》しのあなたが、そこまで手が早いわけないわよね。でもやっぱり瑠璃子ちゃんを狙っていたじゃない」

……いま『ヘタレ』って言おうとしたな。

完全に手玉に取られて黙り込んでいる僕の耳元に、阿麻音は唇を近づけてくる。

「瑠璃子ちゃんもあなたを狙っているわよ」

「え？　マジですか⁉」僕は目を見開く。

「マジマジ。あなたが本命、けれどあの商社の男も悪くないと思っている。そして、商社の男は瑠璃子ちゃんに猛アタックしている。このままじゃ、あの子をとられちゃうわよ。でも、私のサポートがあれば、あんな男、相手にならない」

阿麻音の吐息が耳朶《じだ》をくすぐり、妖しい震えが背中に走った。

「ねえ、良い取引だと思わない？　小鳥遊先生」


「それじゃあ、今日は解散ということでぇ。みんなありがとうぅ」

完全に出来あがっている諏訪野が、呂律《ろれつ》の回らない声を張り上げる。

午後十時過ぎ、合コンはお開きになった。そして僕の傍らには可憐《かれん》な女性、湊川瑠璃子が立っている。

二時間ほど前、僕は阿麻音に借りを作ることがどれだけ危険なことなのか理解しつつも、彼女の提案に乗ってしまった。

きっと悪魔と契約する人間というのもあんな気持ちなんだろう。

そして契約通り阿麻音は、僕と瑠璃子の間をうまく取り持ってくれた。

僕を持ち上げ、瑠璃子と僕の共通の話題を振り、そして瑠璃子にアタックしようとしている商社の男に色目を使って気を逸《そ》らして妨害工作をした。その甲斐《かい》あって瑠璃子との会話が盛り上がり、いまも自然とすぐ近くに寄り添うように立っている。

これならうまく連絡先を聞いて、できれば後日、食事に行く約束ぐらいは取り付けられるかもしれない。

「あの、よかったら連絡先の交換を……」

僕がそこまで言いかけたとき、瑠璃子はアルコールで潤んだ目で見つめてきた。

「小鳥遊さんはこのあと、お時間ありますか？」

「え、え、時間ですか？」

「はい。よかったら、このあと二次会に行きませんか。できれば……二人だけで。私、もっと小鳥遊さんとお話ししたいなって……。迷惑でしょうか？」

酔いのせいか、それとも他の理由でか、頬を赤らめながら瑠璃子は言う。

「もちろん……」

迷惑なんかじゃありません。行きましょう。と、続けようとしたとき、唐突に衝撃が走り、右腕に硬いものが触れた。

「小鳥遊センセー」

いつの間にか近づいてきていた阿麻音が僕にしなだれかかりながら、胸を腕に押し付けていた。

いまの、胸の感触だったの？　どれだけパッドで盛っているんだ、この人？

「な、なんですか？」

阿麻音の意図が読めず、僕は混乱する。

「早くお部屋に行きましょうよぉ」

甘ったるい声で阿麻音が言う。

「なにを言って……」

「照れなくてもいいんですよ。さっき、私がトイレにいったとき追いかけてきて誘ってくれたじゃない。先生のお家《うち》に行って、二人だけでしっぽりと飲もうって」

「は？　えええ？」

言葉を失っている僕に、硬いパッドをぐいぐいと押し付けてきながら、阿麻音は瑠璃子に流し目をくれる。

「ごめんね。そういうことだから」

瑠璃子は数回まばたきをしたあと、華奢《きゃしゃ》な肩をすくめた。

「そうなんですね。ごめんなさい、お邪魔しちゃって」

あっさりと身を翻し離れていく瑠璃子に、商社の男が近づく。十数秒、言葉を交わしたあと、男は瑠璃子の肩を抱き寄せた。瑠璃子も嫌がるそぶりを見せず、男に寄り添う。

二人が楽しげに話しながら、夜の街へと消えてくのを、僕はただ口を半開きにして見送ることしかできなかった。

「はいはい、お疲れさまでした」

一転して冷めた口調になった阿麻音が体を離す。

「お疲れさまじゃないですよ。約束が違うじゃないですか。せっかくいいところだったのに」

僕の抗議をどこ吹く風で聞き流した阿麻音は、黒髪を掻《か》き上げた。

「あなたを助けてあげたのよ。あの女はやめておきなさい。危ないから」

言葉を切った阿麻音は、自虐的な笑みを浮かべる。

「私もお人好しね。放っておいたら、『お客』を集めるための人脈を作れたのに、わざわざ人助けするなんて。けどまあ、あの小さな先生とあなたには、この前、助けられたから、その恩返しくらいはしないとね。これで借りは返したわよ」

「どういうことですか？　意味が分かりませんよ」

僕が声を荒らげると、阿麻音は踵《きびす》を返した。

「すぐに分かるわよ。それじゃあね、小鳥遊先生。あの小さな先生にもよろしく。こう伝えておいて。『縁があったらまた会いましょ。できれば次は敵として』ってね」

軽く手を振りながら去っていく阿麻音の背中が、雑踏の中に消えていくのを見送りながら、僕は呆然《ぼうぜん》と立ち尽くし続けた。


「ぼったくりバー⁉」

思わず声が大きくなる。ソファーに寝そべってマンガを読んでいた鷹央《たかお》が、怪訝《けげん》な表情を向けてきた。

合コンがあった三日後の昼、天医会総合病院の屋上にある〝家〟で昼休みをとっていた僕に、諏訪野から電話があった。

『そうなんだよ。瑠璃子ちゃんっていただろ。合コンの後、あの子と二人で飲みに行った奴が、瑠璃子ちゃんが行きたいっていったバーに連れていかれたんだよ。そこがぼったくりバーで、何十万円も請求されて警察沙汰になっているらしいんだ』

「そ、それは大変だな……」

答えながら、僕はあの夜、阿麻音にかけられた言葉を思い出す。

──あの女はやめておきなさい。危ないから。

「それじゃあ、もしかして瑠璃子さんって……」

『ああ、完全にぼったくりバーとグルだな。いま思えば、お前も狙われていただろ。良かったよ、お前が被害にあわないで。というわけで、あの子から接触があっても無視しておけよ。ヤバいから。じゃあな』

「ああ、分かったよ。じゃあ、また」

通話を終えた僕はあの夜のことを思い出す。

合コン中の瑠璃子を観察して、阿麻音はその本性に気づいたのだろう。そして、一芝居うって僕を助けてくれた。

「どうかしたのか?」マンガ本を手にしたまま、鷹央が訊ねてくる。

「なんか……、詐欺師に助けられたみたいです」

「はぁ?　どういうことだ?」

「いえ、なんでもありません。そういえば、杠阿麻音から伝言がありました。『縁があったらまた会いましょ。できれば次は敵として』とのことです」

詐欺師からのメッセージを伝えられた鷹央は、数回まばたきをしたあと、唇の端を上げた。

「望むところだ。返り討ちにしてやる」

楽しげな鷹央の声が、部屋の空気を揺らした。

本作は二〇一七年二月に刊行された
『天久鷹央の推理カルテV 神秘のセラピスト』（新潮文庫）を
加筆・修正の上、完全版としたものです。
完全版刊行に際し、新たに書き下ろし掌編を収録しました。

実業之日本社文庫　好評既刊

知念実希人
悲恋のシンドローム　天久鷹央の推理カルテ　完全版
この事件からは手を引く――。天才・天久鷹央が解決できない事件？　奇想天外な「瞬間移動」の真相とは。書き下ろし掌編「想いよ届け」収録の完全版！
ち 1 104

知念実希人
スフィアの死天使　天久鷹央の事件カルテ　完全版
天久鷹央と小鳥遊優。二人は出会い、全てはここから始まった。大人気、天久シリーズ最初の難事件！　書き下ろし掌編「白い粉の秘密」収録の完全版。
ち 1 201

知念実希人
幻影の手術室　天久鷹央の事件カルテ　完全版
手術後のオペ室で医師が死亡した。その容疑者は……鴻ノ池!?　部下の窮地に天久鷹央が動き出す。書き下ろし掌編「鴻ノ池の笑顔」収録の完全版。
ち 1 202

知念実希人
甦る殺人者　天久鷹央の事件カルテ　完全版
都内で起きた連続殺人。DNA鑑定の結果、容疑者に浮上したのは4年前に死亡した男だった。死者の復活か…。書き下ろし掌編「鷹央の恋人？」収録の完全版！
ち 1 203

知念実希人
吸血鬼の原罪　天久鷹央の事件カルテ
二つの傷跡。抜き取られた血液。犯人は…吸血鬼？　天才医師・天久鷹央は、事件解明に動き出す。現役医師による本格医療ミステリー、書き下ろし最新作！
ち 1 208

実業之日本社文庫 ち1 105

神秘《しんぴ》のセラピスト　天久鷹央《あめくたかお》の推理《すいり》カルテ　完全版《かんぜんばん》

2024年2月15日　初版第1刷発行

著　者　知念実希人《ちねんみきと》

発行者　岩野裕一
発行所　株式会社実業之日本社
〒107-0062　東京都港区南青山6-6-22 emergence 2
電話 [編集]03(6809)0473 [販売]03(6809)0495
ホームページ https://www.j-n.co.jp/
DTP　ラッシュ
印刷所　大日本印刷株式会社
製本所　大日本印刷株式会社

フォーマットデザイン　鈴木正道（Suzuki Design）

ISBN978-4-408-55867-7（第二文芸）